Uma lágrima de MULHER

COLEÇÃO A OBRA-PRIMA DE CADA AUTOR

Uma lágrima de MULHER

ALUÍSIO AZEVEDO

Texto integral

2ª edição

MARTIN CLARET

DIREÇÃO Martin Claret
PRODUÇÃO EDITORIAL Carolina Marani Lima
Mayara Zucheli
DIAGRAMAÇÃO Giovana Gatti Leonardo
DIREÇÃO DE ARTE E CAPA José Duarte T. de Castro
ILUSTRAÇÃO DE CAPA Devochka i Zaicheg / Shutterstock
REVISÃO Rinaldo Milesi
IMPRESSÃO E ACABAMENTO Renovagraf

Este livro segue o novo Acordo Ortográfico da Língua Portuguesa.

Dados Internacionais de Catalogação na Publicação (CIP)
(Câmara Brasileira do Livro, SP, Brasil)

Azevedo, Aluísio, 1857-1913.
Uma lágrima de mulher / Aluísio Azevedo. — 2. ed. — São Paulo: Martin Claret, 2013. — (Coleção a obra-prima de cada autor; 132)

"Texto integral"
ISBN 978-85-7232-590-5

1.Romance brasileiro I. Título. II. Série.

13-06299 CDD-869. 93

Índices para catálogo sistemático:

1. Romances: Literatura brasileira 869. 93

EDITORA MARTIN CLARET LTDA.
Rua Alegrete, 62 — Bairro Sumaré
01254-010 — São Paulo, SP
Tel.: (11) 3672-8144
www.martinclaret.com.br
5ª reimpressão - 2021

Sumário

Segunda parte

I	63
II	65
III	71
IV	75
V	79
VI	83
VII	85
VIII	89
IX	92
X	94
XI	100
XII	102
XIII	103

Terceira parte

I	109
II	112
III	114
IV	117
V	119
VI	123
VII	125
VIII	127
IX	132
X	134
XI	136
XII	139
XIII	142
XIV	143

Apêndice

Glossário	151
Contextualização da obra	155

PREFÁCIO

O PRIMEIRO ALUÍSIO: UM ROMÂNTICO DE PROJEÇÃO NATURALISTA

Ricardo Iannace*

[...] é nesse ficcionista desigual, misto de grandezas e trivialidades, que se encontram aquelas aparentes contradições peculiares ao naturalismo brasileiro — entre a crueza realista e a fantasia romântica de um livro a outro ou em um mesmo livro — entre a representação fiel do ambiente, pela soma dos detalhes, e a transposição movimentada do quadro de costumes, e isto no mesmo livro.

Nelson Werneck Sodré[1]

Uma lágrima de mulher (1880) estrutura-se à maneira das novelas de folhetim que o Romantismo propagou durante décadas no século XIX. A chantagem sentimental que impera nesta safra de histórias notadamente subjetivas, pautadas por ocorrências inverossímeis, requer do leitor de hoje certa maturidade para interagir com esse gênero permeado de fantasias e exageros da imaginação.

---

* Doutor em Teoria Literária e Literatura Comparada pela Universidade de São Paulo (USP). Professor de Comunicação e Expressão na Faculdade de Tecnologia Victor Civita (FATEC) e professor do Programa de Pós-Graduação em Estudos de Literatura da Universidade Federal de São Carlos (UFSCar). Autor, entre outros, de *Retratos em Clarice Lispector*: literatura, pintura e fotografia (Ed. UFMG, 2009).

[1] SODRÉ, N. W. Esboço da literatura nacional. *História da literatura brasileira*. Seus fundamentos econômicos. 3. ed. Rio de Janeiro: Livraria José Olympio Editora, 1960. p. 358.

Se, de um lado, tais melodramas colaboram para formar o gosto de um público identificado com enredos preenchidos de incidentes piegas (inúmeras são as cenas onde triunfam episódios artificiais, e incontáveis os desfechos apoteóticos, a promover o pranto do receptor introduzido em cenário que já anuncia a massificação, operando-se a escrita como mercadoria de consumo), por outro lado, no então contexto, surgem narrativas que oferecem muito mais que comoção e entretenimento cultural; isso vale para as produções de José de Alencar e de Machado de Assis, que, à época, também arquitetou composições de inspiração melancólica.

Diferentemente do autor de *Dom Casmurro* (1900), simpático apenas na sua fase inaugural aos preceitos e clichês românticos, Aluísio Azevedo (São Luís do Maranhão, 1857; Buenos Aires, 1913) figurará na história da literatura brasileira como romancista volátil no tocante à variação de estilos. Constrói, num só tempo, obras realistas-naturalistas — graças às quais alcança o justo renome — e tramas folhetinescas de valor estético bastante questionável. Irmão do dramaturgo Artur Azevedo, com quem colabora na criação de comédias, Aluísio fixa residência ainda jovem no Rio de Janeiro, empregando-se como caricaturista em jornais de linha política e humorística; a seguir, volta à terra natal e tem as crônicas publicadas na imprensa. Com o regresso ao Rio, após a edição do volume de estreia *Uma lágrima de mulher* e de *O mulato* (1881), vêm à luz os contos, as novelas e os romances. Por anos a fio, sustenta-se da literatura, até obter aprovação em concurso e trilhar a carreira diplomática no exterior, falecendo aos cinquenta e cinco anos.

Narrada em terceira pessoa, *Uma lágrima de mulher* constitui-se de três partes. Os capítulos breves, contornados com a leveza e o capricho reconhecidos nos traços de escribas habilidosos em desenhos a bico de pena, conferem a esse relato de Aluísio um conteúdo inocente, impresso no tom singelo das passagens do entrecho. A intriga é ambientada em solo europeu: inicia-se numa aldeia de pescadores situada no arquipélago de Lipari, ao norte da Sicília, finalizando-se em Nápoles. Nesse sugestivo e contemplativo cartão-postal italiano, descrevem-se os infortúnios do par amoroso, representado por Rosalina e Miguel, que não se curva à severidade de Maffei, o pai da heroína, incansável na tarefa de impor obstáculos para desunir o casal.

De saída, ilustra-se a vida simples da família de Maffei — pescador viúvo, rude e de poucas palavras que, além da companhia da filha, conta com os serviços zelosos de dona Ângela, a habitar a mesma casinha branca onde a protagonista, em razão da viagem do pai, recebe visitas respeitosas do namorado. Nesses serões, Miguel realiza leituras e toca o seu instrumento de cordas, agradando as moradoras. Ocorre que, a exemplo dos contos de fadas, o patriarca retorna ao lar, e, para a surpresa de todos, endinheirado. A alta soma permitirá que abandone o casebre, transferindo-se para uma propriedade suntuosa em Nápoles; ali promoverá festas e exibirá Rosalina à elite burguesa, na esperança de casá-la com cavaleiro que possa confiar ao sogro o almejado prestígio social.

Várias páginas da novela estão reservadas para a análise da degeneração dos costumes. Intercala-se na ficção um discurso crítico, por meio do qual se formalizam argumentos que visem convencer o leitor dos malefícios ocasionados pelo dinheiro. Trata-se de explanação afrontosa à aristocracia degradada e à classe emergente que atravessam madrugadas valsando, cercadas de muita bebida, jogos e promiscuidades. O autor suspende os eventos narrados para inserir os longos comentários: a estratégia antecipa um procedimento que, aliás, se tornará usual no Realismo-Naturalismo, a considerar o modo de enunciação incorporado ao chamado *romance de tese*, de vertente científica, instituído no Brasil por Aluísio a partir da filosofia positivista de Auguste Comte e com vistas às teorias do Determinismo disseminadas pelo escritor francês Émile Zola.

Com efeito, aos pilares da escola romântica que alicerçam *Uma lágrima de mulher* justapõem-se, ainda que pálida e timidamente, alguns dos ideários da corrente que projetará Aluísio Azevedo no painel estético nacional. Nessa brochura concentram-se ações reveladoras da ambiguidade da psicologia humana (Miguel, em determinada altura da novela, é tão virtuoso no ofício de preceptor, que as crianças à guarda de sua instrução lhe despendem afeto similar àquele que o infeliz Werther recebe dos irmãos de Carlota no romance de J. W. Goethe, precursor do Romantismo na Alemanha. Em contrapartida, a raiva, o ódio e o impulso de vingança turvam e obscurecem o espírito do jovem que venera Rosalina.).

A trama que introduz Aluísio nas belas-letras parece funcionar como laboratório para a fabulação dos seus futuros romances — passa a emblemar um exercício eficaz na concepção de suas personagens; no ensaísmo sobre *a influência do meio* na modelagem do caráter dos indivíduos; no arranjo sintático que transforma um frágil segmento de palavras em uma prosa poética encantadora; no investimento concedido à categoria espacial, que ganha extraordinário destaque no texto do autor de *Casa de pensão* (1884). Categoria espacial que eleva uma habitação coletiva, cujo proprietário é o capitalista português João Romão, em *O cortiço* (1890), ao posto de marco alegórico da nossa literatura.

Uma lágrima de mulher

A

Victor Lobato
João Afonso
Fernando Perdigão

Aluísio Azevedo

Primeira parte

I

Numa das formosas ilhas de Lípari[1] branquejava solitária uma casinha térrea, meio encravada nos rochedos, que as águas do mar da Sicília batem constantemente.

Ao lado esquerdo da modesta habitação corria uma farta alameda de oliveiras, que, juntamente com os resultados da pesca do coral, constituía os meios escassos de vida de Maffei e sua família.

O pescador enviuvara cedo.

Do amor ardente e rude com que o embalara por dez anos uma formosa procitana por quem se apaixonara, restava-lhe, como recordação viva da extinta mocidade, como um beijo animado da felicidade que passou, uma alegria de quinze anos, uma filha querida, meiga e delicada como o afago de uma criancinha.

Ela o adorava. Enchia-o de beijos e ternuras; era como um rouxinol a acariciar um tigre. Nas tardes melancólicas do outono, quando se assentavam ao sol no terreiro, contrastava com a bruteza do peito largo do pescador a engraçada cabeça de Rosalina, que se debruçava sobre ele.

Completava a pequena família de Lípari uma boa e religiosa velha dos seus cinquenta anos, ama, criada e amiga; Ângela era, ao mesmo tempo, a mãe adotiva da filha de Maffei.

Rosalina era encantadora. Como em quase todas as meninas italianas, adivinhavam-se-lhe os elementos de uma mulher bela. Difícil seria vê-la alguém, sem prender o coração naquela graciosa liberdade de movimentos; ouvi-la, sem guardar na memória, como uma relíquia sagrada, o seu falsete de criança.

---

[1] Lípari: ilha do arquipélago vulcânico chamado Ilhas Eólicas. O arquipélago é formado por sete ilhas e fica ao norte da Sicília. As outras seis ilhas do arquipélago são: Alicudi, Filicudi, Salina, Vulcano, Panarea e Stromboli.

Há quinze anos adormecia cedo e levantava-se antes da alva, sempre rindo e cantando; nunca uma tristeza real lhe havia nublado a transparência azul de sua alegria, parado em meio uma das suas sadias gargalhadas. Amor, que não o da Madona ou o da família, jamais lhe entrara no coração; e, contudo, nos últimos meses dos seus quinze anos, caía, às vezes, num cismar de tristeza indefinível, quando, de sobre a penedia, contemplava sozinha a extensão melancólica do mar; sentia em tais momentos como vagas inquietações, que se lhe debatiam por dentro e procurava, tolinha! com insistência pueril, arrancar do oceano o segredo de tudo aquilo; parecia-lhe que o ar misterioso das águas vedava ao seu entendimento o verdadeiro motivo dos seus anelos.

Inexperiente, atribuía-os à vontade de viajar; nunca saíra da sua pequenina ilha e essa, apesar da beleza do céu, dos perfumes, das florestas, das sombras das oliveiras, do amor paterno e da dedicação de Ângela, enchia-a de tristeza e melancolia.

Aos domingos costumava ir à missa e embalde o aprendiz ou o operário se paramentava com o seu gorro novo; a filha do pescador, logo em deixando os trajos domingueiros, nem mais se lembrava do moço, que a cortejara sorrindo, ou do singelo galanteio de algum dos do mesmo ofício de seu pai.

Nem por isso deixavam de querer-lhe, pois nas rodas divertidas dos alpendres, enquanto dançavam e riam cantando a *Tarantella*, ao som das gaitas de foles, Rosalina não era esquecida, e até muito de coração lamentavam a mania do velho Maffei de não consentir que a pequena fosse aos domingos bailar e brincar nos seus folguedos.

II

Principiava a declinar o mês de outubro, e já o inverno abria cedo os portões da noite.

O céu betumado por igual de um cinzento chumbado e sujo, peneirava de vez em quando uma poeira d'água, que se precipitava na lâmina polida do mar, como se milhões de flechazinhas microscópicas crivassem o escudo enorme do fabuloso gigante marinho.

Das águas, mortas e sombreadas pelo azul-escuro da noite, levantava-se o torrão vulcânico da ilha, desenhando fantasticamente no fundo plúmbeo do céu os contornos negros das oliveiras.

As duas vidraças iluminadas da casa de Maffei fitavam da treva as ilhas vizinhas.

Do lado oposto da ilha, os pescadores lançavam, cantando, as redes ao mar, e o som monótono das cantigas chegava esfacelado e trêmulo, como o reflexo dos seus archotes nas vagas.

III

Ia adiantada a noite.

A serenidade aparente da casinha branca contrastava com a agitação interior. Extraordinário deveria ser o fato que tinha, tão desacostumadamente, despertos até tarde os seus pacíficos moradores. Entanto o bulício crescia lá dentro: iam e vinham de um para outro lado, procurando, influenciados pelo silêncio, que a noite só por si impõe, abafar o som dos passos e das vozes, como se tivessem vizinhos ou pudessem incomodar alguém.

Em tudo respirava uma impaciência surda; as andorinhas, pouco habituadas com o rumor, espreitavam curiosas e assustadas por entre as ripas com as suas cabecinhas pretas.

Apesar de velha e magra, Ângela era forte e sadia: atarefada, emalava ferramentas e movia fardos com facilidade; Rosalina, por outro lado, dobrava e empacotava roupas e afivelava malas prontas.

Tratava-se sem dúvida de alguma viagem.

Maffei era o único que não parecia preocupado com o que se passava; de natural sombrio e reservado não se mostrava inquieto: imóvel, numa cadeira de pau, com o dedo grosseiro entre os dentes, dividia e somava mentalmente umas parcelas imaginárias.

Saíam-lhe inarticulados da boca sons aproveitáveis só para ele; ao resolver qualquer questão, deixava cair sobre a mesa de nogueira o punho cerrado, e com o ruído as duas mulheres voltavam rapidamente a cabeça; a imobilidade do pescador tranquilizava-as, e ele continuava entregue inteiramente ao seu cogitar.

Efetivamente, preparava-se uma viagem.

Maffei partia no dia seguinte para Nápoles, empregado numa companhia, que se propunha continuar em Rezina a exploração das famosas ruínas de Herculano. Decorria então

1838, e nessa época as ambições voltavam-se abertamente para Rezina, onde centenas de operários e trabalhadores, lutando dia e noite, ou eram vítimas da sua cobiça ou triunfavam ricos e vitoriosos da luta desigual, travada por eles, com as lavas, que vomitara um dia o Vesúvio e setecentos anos petrificaram.

Seduzido pela fortuna, ia o pescador deixar a filha; o gênio aventureiro e especulador não lhe permitia avaliar o alcance da empresa. Bem conheciam as boas mulheres o caráter de Maffei, e por isso mesmo não arriscavam uma única palavra para o dissuadir.

Para ele, nunca as coisas estavam bem no pé em que se achavam. Era sempre preciso melhorar. Tinha a impaciência do mar e a firmeza do ferro; quando qualquer ideia se apoderava dele, era como a ferrugem, que avulta, domina, até corromper de todo.

IV

Mal raiara a aurora triste e descorada do dia da viagem, já de pé dispunha-se a família para descer ao porto do embarque.

Aí chegados, o pai apertou nos braços a filha; duas lágrimas grossas e varonis, como verdadeiros intérpretes da linguagem muda e sincera do amor, abriram-lhe caminho pelas faces tostadas.

E, enquanto Rosalina esfregava os chorosos olhos com as costas da mão esquerda, Ângela, meio afastada, resmoneava a oração favorita, a cobrir de bênçãos o querido aventureiro.

Não tinha ainda o sol enxugado da umidade os rochedos, que durante a noite receberam chuvas contínuas e carregadas, já uma vela minguava ao longe da baía, confundindo-se com o claro-escuro das águas.

V

Cinco meses depois da partida do pescador, o tempo atirou aos habitantes da ilha um domingo, que se podia chamar a obra-prima de março.

Só pode ser verdadeiramente apreciado o domingo por um artista, um operário, um estudante ou outro qualquer filho legítimo do trabalho e que a este dedique toda a semana. Os amados da fortuna e bastardos do suor, que vivem paulatinamente dos seus calados rendimentos, têm sete domingos na semana e não logram conseguintemente o melhor e o mais legítimo dos prazeres — o descanso. Para poder descansar é preciso principalmente uma coisa — cansar. Do que se conclui que o domingo existe e pertence exclusivamente a quem ocupa utilmente os outros dias.

A ilha apresentava um aspecto realmente encantador.

Por toda parte dançavam e cantavam grupos alegres de homens sadios e mulheres bonitas ao som da guitarra e do pandeiro.

À missa da manhã não faltou habitante de Lípari, que prezasse o seu caráter tradicionalmente religioso. Encontravam-se os namorados, trocavam-se meias palavrinhas de ressentimento e ciúme, quando não de amor, e, lá muito a furto, o noivo roubava às faces morenas e coradas da sua conversada um suspirado beijo.

Os sinos da Igreja de S. Tiago repicavam o termo da missa.

Era muito de ver os moços, com as suas roupas domingueiras, perfilados à porta da igreja, aguardando a saída das suas prediletas namoradas; e para logo surgir, ao calor metálico do bronze, uma onda sanguínea de mulheres frescas e fortalecidas, procurando, com os olhos inquietos e enfeitiçados, os daqueles que as esperavam.

Assim apareceu Rosalina, cujos amarrotados da saia denunciavam o muito que estivera de joelhos.

Vinha um tanto aborrecida e fatigada: os olhos pareciam mais úmidos que de ordinário e os movimentos mais demorados, as faces enrubescidas pelo calor da igreja, a ligeira transpiração, que lhe borrifava o lábio superior e o nariz, davam ao moreno aveludado de sua tez os tons leves e palpitantes, cujo segredo só possuiu Murilo, quando, pintando a cabeça da virgem, reproduzia a beleza angélica de sua filha.

Trazia saia curta de pano escuro e grosseiro, deixando ver o começo de umas pernas benfeitas e terminadas por dois sapatinhos pretos de fivela e laço. O seio arfava-lhe sob a pressão do tecido rijo de barbatanas de baleia, que armavam um corpete de lã vermelho, muito justo e melhor talhado. Os cabelos, de tal negrura, que levantariam ao sol reflexos de azul-ferrete, destacavam-se do quadrado de linho branco, que lhe toucava cuidadosamente a fronte e reapareciam mais abundantes no pescoço em forma de duas reforçadas tranças.

Estava cansada. — Que a deixassem! Queria desafrontar-se daquelas roupas; e, passeando os olhos pelos grupos multicores dos rapazes no vestíbulo, parecia procurar alguém com certa impaciência.

Mal dera alguns passos sorrira. Os lábios sempre anunciam rindo, quando os olhos acham quem o coração procura.

Com efeito, um moço, saindo da multidão, acercou-se dela.

Era um belo rapaz. Esbelto e destro, olhar sombrio e ardente, agradável expressão de amargura na fisionomia, e suma confiança desamparada nos movimentos. Tinha uma cabeça escultural, modelada pelo tipo quase extinto da raça etrusco-pelágia.

Como os mais vestia um jaquetão de veludo com mangas compridas e abotoadas, calções justos e claros, enfeitados de fitas na junção com a meia listrada, camisa de lã, aberta no pescoço.

Chamava-se Miguel Rizio. Filho de um músico romano, dedicara-se à arte do pai com algum êxito até aos doze anos. De repente, viu-se órfão e sem apoio, ficando-lhe, como derradeira consolação, a sua querida rabeca, única que no viver miserável de *lazzarone*,[2] a que o condenara a miséria, não o desamparou jamais. Dormiam abraçados, muita vez, pelos alpendres, quando lhes faleciam o teto e a cama.

Um belo dia conseguiu fugir para Roma e lá, melhorando a arte, melhorou também os meios de subsistência.

De volta à ilha, sua pátria, encontrava-se aos domingos com Rosalina, e desde então, apesar da meninice da pequena, amou-a ele, quase tanto, quanto à sua rabeca.

E ela? Valha-a Deus! Por esse tempo nem se lhe dava dos amores do músico.

Quem se deu foi o pescador. De uma feita, desconfiou dos olhos ardentes de Miguel, e, cravando neles os seus, não menos ardentes e mais ferozes, fê-lo desde aí experimentar, a despeito da precoce energia de seus dezenove anos, um não-sei-quê desagradável, que o obrigava a evitar sempre o pai de Rosalina.

Agora, ausente este, o moço sentia-se livre e feliz, e nestas circunstâncias deu com franqueza o braço a Rosalina, tomando alegremente o caminho de casa, que não ficava longe.

A boa Ângela protegia os inocentes amores da pupila, amores novos e superficiais para ambas, que apenas há dois meses o sabiam; enraizados, porém, e velhos para Miguel, que de há muito consumia noites e esperanças a cismar na filha do seu gratuito e maior inimigo.

Caracteres angélicos como o do artista sabem e podem amar não com esse amor sensual e grosseiro, cheio de desejos, que estiolam o coração e os sentidos dos filhos das grandes capitais, mas com essa fragrância singela, comparável ao perfume da violeta e que se pode chamar afeto, religião ou mesmo fanatismo. Não a amava ele porque a desejasse, senão porque a sentisse em toda a sua individualidade; nele tudo se poderia extinguir, menos esse sentimento, que o acompanhava como uma qualidade inerente à sua matéria. Quanto mais procuravam evitá-lo, quanto mais obstáculos levantavam à sua passagem, quanto mais faziam por pisá-lo, mais forte rescendia esse afeto, semelhante às plantas do Oriente, que

[2] Lazzarone: mendigo de Nápoles, ocioso, vadio.

tanto mais perfume exalam, quanto mais grosseira for a mão que as triture.

Supersticioso como era, tinha para si que nem a morte seria capaz de destruir essa paixão.

— Quando eu morrer — pensava ele — há de ficar nesta ilha o meu amor, triste, invisível e inconsolável, como um espírito penado, e irá todas as noites deitar-se à soleira da tua casinha branca, minha Rosalina. Vês um frasco de perfume que se quebra e derrama o líquido perfumoso? Pois bem; os pedaços desaparecem, a umidade do chão, que o líquido ensopara, bebe-a o calor da atmosfera, mas o perfume fica e ficará por muito tempo! É assim que eu te amo, minha amiga!

No entanto, Rosalina estava longe de alcançar a grandiosidade deste sentimento: supunha-o vulgar e reles, como sói acontecer com as raparigas, que não conhecem o coração do homem.

VI

Há dois anos estava Maffei em Rezina.

Há dois anos cartas impregnadas de certo cheiro de prosperidade vinham alegrar a família do pescador e sobressaltar o ânimo do pobre Miguel. Contudo, a casinha branca continuava naquela ignorada e encantadora solidão; agora, porém, as oliveiras deixavam apodrecer o fruto nos galhos, o lagar dormia ocioso e as redes da pesca não viam água salgada desde muito tempo.

Fazia uma noite deliciosa. Uma dessas noites sem lua, em que a frouxa claridade das estrelas povoa o campo de poesia e amor.

O relógio de S. Tiago badalejava, pausada e religiosamente, o toque do crepúsculo, quando Miguel, com a sua rabeca debaixo do braço, seguia abstraído pela orla do caminho, que ia dar à casinha branca.

Em breve atravessava o patamar de pedra da casa do pescador, e descansava vagarosamente sobre a mesa a rabeca e o chapéu de feltro de copa alta.

Ângela e Rosalina correram ao encontro do recém-chegado.

— Boa noite, Rosalina! Como passou, mãe Ângela?

As duas responderam familiarmente a este cumprimento.

— Senta-te aqui, Miguel — disse Rosalina, arrastando uma cadeira de pau, enquanto, do fundo da casa, um cão, uivando amigavelmente, veio cheirar os pés e as mãos do artista.

Fica visto por esta recepção que aquela visita não era novidade para nenhum dos três.

Miguel sentou-se, sem cerimônia, ao lado de Rosalina; Castor, o cão, veio deitar-se-lhe aos pés, encostando-lhe humildemente a cabeça nas pernas.

Depois de algum silêncio, entabulou-se entre os dois moços uma dessas conversações fúteis e agradáveis, cujo segredo só possuem os namorados. Falavam baixo, descansados e desapercebidos de tudo; falavam nimiamente por se ouvir um ao outro, com o egoísmo dos amantes, mas sem afetação nem constrangimento.

Qualquer coisa que dizia Miguel, tinha muita graça para Rosalina. O menor gracejo do artista fazia-a mostrar os dentes claros e a língua vermelha em uma das suas francas e sadias gargalhadas.

— Tocas-me hoje o teu *Sonho?* — perguntou ela, em seguimento da conversa.

— Tocarei, depois da leitura, mas trago-te uma música nova.

— Feita agora?

— Concluída hoje; já estava principiada há mais tempo.

— A quem é dedicada?

— Que pergunta! A quem poderia ser?

— A mim! — disse Rosalina, feliz.

— E sabe como se chama? — perguntou Miguel.

— Como é?

— *Teu nome!*

— Rosalina?

— Não! *Teu nome!*

— Ah! — fez rindo a moça. — Já sei, o nome é: *Teu nome!*

— Exatamente!

— Ora! O que se chama, *Teu nome*, por bem dizer não tem nome.

— Tolinha!... Queres que o mude?

— Não!... — disse meigamente sorrindo Rosalina.

— Então! Senhor Miguel! Não temos hoje leitura? — perguntou Ângela, colocando a mão aberta sobre os olhos para poder enxergar o interrogado.

Este respondeu, levantando-se e indo tomar um livro de um armário de pau, pregado na parede; depois, assentou-se defronte da velha, que, junto à mesa, cosia ao clarão da luz do azeite.

Rosalina foi reunir-se ao grupo.

Reinava o mais absoluto silêncio.

Miguel abriu com pachorra o livro, no lugar marcado por uma tira bordada, trabalho delicado de Rosalina, esfregou carinhosamente as palmas da mão nas folhas do livro, aberto de par em par; cruzou as pernas, enterrando os pés para baixo da cadeira, em que estava assentado; espevitou o pavio da candeia, e depois de fitar abstratamente a cabeça branca de Ângela, principiou, com a voz sonora e desembaraçada, a leitura de uns contos fantásticos, que faziam o enlevo da velha e de Rosalina.

A isto sucedeu completa tranquilidade.

Com o interesse do romance, Ângela parara maquinalmente o trabalho e, firmando os cotovelos descarnados na madeira da mesa, ficava automaticamente a fitar, com o rosto apoiado nas mãos compridas e ossudas, o movimento regular dos lábios do leitor.

Dominada, como estava, pela mágica influência do livro, ligava indistintamente não sei que relação entre a fisionomia expressiva de Miguel e o assunto da novela; parecia-lhe que aquilo eram palavras e pensamentos dele, ditos e pensados ali, naquele instante; às vezes sentia vontade de abraçá-lo, quando a passagem lhe agradava, e ao contrário, revoltava-se, interiormente, por amor das transcendentes maldades dos tiranos do romance.

Choravam e riam silenciosamente as duas, conforme a situação. Tudo era interesse; até o próprio Castor parecia tomar parte na leitura, sofrendo resignado a vontade de ladrar contra as ruidosas lufadas do vento; ficava o pobre animal com a cabeça estendida e o olhar mole e sensual, a bater com a cauda de um para outro lado, com a uniforme oscilação de uma pêndula.

No meio deste silêncio, a voz grave e compassada de Miguel ecoava monotonamente nas quatro paredes de betume cinzento.

Terminada a leitura, conversavam os três sobre o enredo e o caráter dos personagens, que figuravam no romance, cujo desfecho Ângela com muito empenho profetizava.

Em seguida, Rosalina foi buscar a rabeca e Miguel executou expressivamente várias músicas de sua imaginação, não se esquecendo da última — *Teu nome*, que muito arrebatou e comoveu aquela a quem foi oferecida.

Com efeito desvanecia-se a rapariga com ser a inspiradora de tão belas concepções, e ficava enlevada, como a sonhar, bebendo pelo coração as melancólicas harmonias, que manavam do instrumento apaixonado.

Assim fugiam as horas tranquilas e esquecidas da visita, até que os sinos de S. Tiago tocavam o silêncio; então descontinuava-se o recreio: Miguel despedia-se, beijando a mão da velha e a fronte da moça, e, depois de tomar o chapéu e a rabeca, partia cabisbaixo.

Ao sair o músico, fechavam logo a porta; a luz desaparecia da sala e as duas mulheres recolhiam-se para o mesmo quarto, onde rezavam e dormiam juntas; tudo isto era feito com cuidado e devagarinho, como se tivessem medo de acordar com o barulho a felicidade que se lhes agasalhara em casa.

Nas noites em que Miguel se demorava ou não ia como de costume, sentiam-se as duas mal e impacientes, e Rosalina encostava-se, então, cantarolando, às ombreiras da porta, e derramava, de vez em quando, um olhar de tristeza pela brancura do caminho. Enfim, o rapaz era já como pessoa da família; era, pelo menos, uma necessidade para ambas.

Aos domingos de primavera, o sol ao levantar-se às cinco horas já os via de pé e em caminho para a missa. Então aparecia sempre um pretexto para demorar-se o passeio, que os levava em geral pelas casas das amigas de Rosalina, onde Miguel era já conhecido e estimado.

O que possa asseverar é que o lenço, com que Rosalina assistiu à última missa, era presente de Miguel; e a gravata com que este no último domingo se enfeitara, era feitura das delicadas mãos da sua presenteada.

Era tudo harmonia e amor naquela casinha branca!

VII

Chegara finalmente o verão com o seu cortejo de luz e de alegria; agosto surgira enfeitado e casquilho como um noivo campesino a cobrir de beijos e mimos a formosa ilha, sua noiva. Vinha alegre.

O céu, todo iriado, refletia no mar os seus mais belos cambiantes; as árvores, então bem cobertas e reverdecidas, derramavam no chão uma alfombra azulada, cheia de languidez e perfumes que encantavam; a brisa sussurrava morna e maliciosa um segredo de namorados; golpeadas de luz quente, as rochas erguiam-se do mar como uns belos monstros, enfeitados de diamantes.

Quanta atividade na terra!

Quanta doçura no céu!

O canto saía espontâneo das gargantas e os sorrisos dos lábios, e de tal sorte se casavam no ar, que o canto parecia riso e o riso parecia canto! A luz enorme do sol caía filtrada dentro do coração, para aí abrir uma aurora de mocidade e saúde, a bondade vinha à superfície dos olhos como a água vem à superfície da terra; propagava-se como um som a alegria, e a gargalhada detonava como o eco desse som.

Pousavam nos colmos os passarinhos ou embalavam-se chilreando nas hastes flexíveis das videiras. Como uma boa notícia, as andorinhas cortavam a ilha em todos os sentidos; inquietas como a fortuna, ligeiras como a curiosidade, ora roçavam-se na terra para lhe dizer um segredo, ora molhavam na baía a pontinha negra da asa ou se desvaneciam no azul ilimitado do espaço.

No mar o quadro correspondia em movimento e beleza de colorido ao da terra.

O oceano vestira uma domingueira camisa de rendas espumosas.

Por todos e de todos os lados singravam as listras multicores dos barcos pintados de novo; a espicha vergava com a vela reverberante e cheia. Os pescadores, satisfeitos com a pesca da noite, cantavam anunciando o peixe; outros, já desembarcados na praia, estendiam as redes ao sol, arrastavam o barco, e punham-se depois a subir as granitosas ladeiras, suando, vergados sob o peso do resultado abundante das suas pescarias. O filhinho, mesmo pequeno, já ajudava o pai; metia-se de pernas arregaçadas no mar, para colher o cabo do bote e as redes; não o amedrontava a imponência do leão-marinho. Nas cabanas, as velhas concertavam o peixe e punham a mesa.

Era para ver o riso, o apetite, a felicidade, enfim!

De repente divisou-se ao longe um barco estranho.

Diferente e maior do que os mais, tinha um ar sombriamente soberbo, que contrastava com a alegre singeleza dos outros.

Vinha como uma bala à queima-roupa!

Dir-se-ia um insulto alcatroado. A vela opada, amarelenta e inchada como o saco de couro de uma gaita de foles, lembrava ao mesmo tempo o ventre enorme de um cadáver que vai apodrecer.

Os pescadores olhavam-no ofendidos como para um intruso; indignavam-se com o vento e com o mar porque tanto o favoreciam. Tinham ciúmes, os bons pescadores, das suas águas e dos sopros das suas brisas.

Todavia o barco não diminuía de carreira. Chegou rápido ao porto, desceu a vela e atracou.

Um homem robusto e carrancudo, seguido de marinheiros e homens acarretados de malas, apareceu na praia e subiu com pé firme à cidade.

Os camponeses e pescadores olhavam-no com aterrada desconfiança; dentre eles alguns davam mostras de conhecê-lo, chegando até a falar-lhe. A tudo respondia secamente o recém-chegado.

Fez impressão nas rodas.

Instantâneo e curioso silêncio apoderava-se dos que o viam; não o largavam de vista; o — sujeito — era observado com respeito e reserva.

Os pescadores arriscavam com cuidado palavra a respeito dele, murmuravam medrosos, mesmo quando já não podiam ser ouvidos pelo — mau homem — e em segredo diziam: era um *iettatura*,[3] que os livrasse a Madona do mau-olhado.

No entanto o do mau-olhado seguia indiferente o caminho da casinha branca e daí a meia hora Rosalina abraçava o pai.

Maffei tinha chegado.

Foi um alvoroto em casa. Ângela soltou uma exclamação religiosa e levantou os braços para o céu.

É sempre enternecedora a volta de um pai ao seio da família.

Seja ele uma fera, nessa ocasião há de ser pai.

As palavras começadas, que não se acabam; o pranto, que assiste como um amigo da família; o cão, que fareja alvoroçado; tudo! tudo é enternecedor e santo!

Só Maffei não chorou nessa ocasião. Acariciava, beijando a filha, porém sempre áspero e inalterável.

Disse depois que estava cansado e que lhe dessem uma cama.

Enquanto dormia o aventureiro, Ângela agradecia a Deus o seu regresso feliz.

Rosalina, com os olhos ainda úmidos, remexia e examinava os objetos que lhe trouxera o pai.

---

[3] Em italiano: catástrofe; má-sorte.

VIII

Foi-se passando o tempo e o recém-chegado sem explicar a melhora da situação.

Também as mulheres não se animavam a interrogá-lo; compreendeu a boa gente que tinha melhorado de sorte, e a Madona por isso recebeu nessa noite uma grinalda nova toda perfumada.

Com efeito Maffei tinha enriquecido.

Em princípio encontrou em Rezina a sorte adversa; porém, com energia e ambição soubera poupar e avultar um pecúlio, que, emprestado a juros e especulações mais altas, em pouco tempo se multiplicara. A economia rigorosa concluiu a obra, crescendo na razão direta do engrandecimento do capital.

Outros atribuíam a um princípio ilícito essa riqueza; aqui diziam que Maffei roubara; ali, que a fortuna o protegera, fazendo-lhe achar dinheiro nas escavações.

Sabemos que em Herculano não apareceu muito em dinheiro, porque a população tivera tempo de fugir, quando a cidade foi submergida; também sabemos que em Nápoles ninguém se queixava de Maffei como ladrão, mas o que era patente e real é que o pai de Rosalina voltava rico, mais ambicioso e necessariamente pior de coração.

Luzia-lhe agora com mais intensidade no olhar a cobiça vermelha e sinistra, como um farol no meio da tempestade.

E não havia porventura uma tempestade naquela cabeça?

Sim! Porém toda interior.

Não se ouviam os trovões nem os vendavais, a revolução ia-lhe por dentro e só chegava à superfície da fisionomia desfeita em espuma biliosa nos cantos arqueados da boca e em sangue mau no vítreo dos olhos.

Isso era nos momentos de cólera.

À monotonia bondosa da casinha branca sucedeu a tristeza, espécie de pavor, que cerca o homem de má catadura.

Contra ele principiavam já a murmurar, na ilha, e, se até ali tinha tido poucos amigos, nenhum desses lhe restava agora. Em geral o malqueriam, davam-lhe a paternidade de coisas horríveis; crimes medonhos, maldades atrozes, tudo servia para explicar a sua imprevista fortuna.

Todavia, se bem que contrariado e só, ia ele vivendo, falava menos e com mais indelicadeza; durante o sono, balbuciava palavras singulares. Frenético e aborrecido, agitava-o sempre a mesma impaciência e o mesmo cogitar.

Quais seriam as suas intenções?... Não o sabiam as mulheres, nem se animavam a perguntar-lho. Com todas estas coisas ia avultando a tristeza na casinha branca.

Rosalina já não era a mesma cotovia alegre e buliçosa, cantadora e risonha; se cantava agora, era triste e suspirando. E as suas notas e suspiros iam, repassados de muita saudade, em busca de Miguel, que, ao chegar o seu velho inimigo, arrancara-se dali, como o galho despartido que o furacão arremessa com estrondo ao longe.

Ângela, cada vez mais devota, passava agora a maior parte do tempo a rezar.

Desconsolado se tornara esse lar, que já nalgum tempo fora vivo quadro de paz e felicidade.

Agora o quadro era sombrio.

Três únicas figuras formavam o primeiro plano. — Um velho áspero, que cisma — uma devota, que reza — uma filha, que suspira; e lá, no último plano, meio escondido nas névoas do poente, um vulto esbatido nas meias-tintas do horizonte — um homem, que chora abraçado a uma rabeca. Ah! ainda há no quadro uma forma negra, mais um borrão que uma figura — o cão.

Também vivia triste e chorava o animal, que em noites de luar soltava uns uivos tão arrastados e queixosos, que enterneciam o coração da gente.

IX

Assim decorreram duas estações, impregnadas, com a vinda de Maffei, de aborrecimento e marasmo.

Uma noite, estavam todos reunidos em volta da mesa; era a hora da ceia. Rosalina servia, preocupada, um prato de peixe com lentilhas; reverberava-lhe nessa ocasião uma esperança na alma, tinha de todo resolvido falar ao pai a respeito de Miguel.

Ângela conhecia os planos da pupila e prestava-se, se fosse necessário, a ajudá-la.

A refeição passou-se silenciosa; ao terminarem-na, quedaram-se por meia hora, imóveis nos seus lugares, mudos.

Ouvia-se lá fora bater o vento nas oliveiras, ouviam-se as cantigas longínquas dos pescadores nas praias opostas.

Rosalina, com as mãos frias, trouxe a Maffei o cachimbo.

O velho pôs-se a fumar voltado para o lado da rua e a seguir com a vista o caminho, que lhe nascia à porta. Estava sombrio como nunca.

Faltava a Rosalina ânimo de falar ao pai; finalmente, tomando uma resolução extrema foi-se-lhe encostar ao grosseiro espaldar da cadeira.

O homem de tão preocupado não se apercebera disso; um beijo da filha despertou-o, porém não o comoveu. Refratário à ternura, continuava secamente a fumar.

Rosalina, cujo coração pulsava cada vez mais impetuosamente, passou-lhe um braço em volta do pescoço, e, com a mão livre messando-lhe os cabelos; entre o receio e o desejo, mais medrosa do que terna:

— Estou triste!

— Por quê? — interrogou indiferentemente o pescador.

Ângela ouvia com interesse este diálogo.

— Tenho medo de pedir-lhe uma coisa...

— E por que tens medo? — insistiu o velho, sempre a fitar maquinalmente a estrada.

— Porque vai ralhar comigo.

— Então queres pedir-me alguma tolice?...

— Não, senhor!...

— Então pede...

— Promete não se zangar?...

— Sim!

— E quando souber que tenho um namorado? — disse abaixando os olhos Rosalina, porém agora mais terna do que medrosa.

Ao ouvir as últimas palavras da filha, Maffei tirou vagarosamente o cachimbo da boca e voltou-se, cravando nela os olhos vivos e interrogadores.

A rapariga estremeceu empalidecendo, sentia-se já arrependida do que houvera arriscado e com dificuldade conseguiu dizer vacilante:

— Não, senhor! Não tenho!

— Com que, tens um namorado?! — repisava entredentes o pescador, ruminando a frase.

Rosalina conservava o olhar baixo e, perturbada, alisava com a unha do polegar da mão direita a costura do corpinho.

— Com que, tens um namorado?!... repetia o velho.

— Porém — disse trêmula e sem levantar os olhos Rosalina — ele me quer tanto! E eu estou tão afeita a vê-lo... — e abaixando mais a voz, quase a falar consigo, continuava — que era um bom moço, trabalhador, e que tudo era para bem, ele queria esposá-la, que...

— Quem é? — interrompeu asperamente Maffei.

— É... é... Miguel Rizio...

Um raio não produziria o efeito desta revelação. A fisionomia do velho alterou-se apopleticamente; firmado nas plantas, levantou-se, como impelido pelas molas da cólera e descarregou com bruta excitação na mesa, o punho cerrado e nervoso.

Foi um avermelhar de olhos, um crispar de lábios, um contorcer de nervos, mais rápidos que o relâmpago. Estava transformado.

— Miguel Rizio! Um miserável!...

E ria-se ironicamente.

Rosalina, toda trêmula, tinha a cabeça baixa e o olhar arrependido; apertava-se-lhe naquele momento o coração, como se tivesse cometido um crime; dos lábios, semiabertos, fugia-lhe um vozear frouxo e trêmulo, como um cardume de mariposas.

O vulto sombrio e preocupado do velho começou a passear automaticamente de um para o outro lado da casa.

Tinha na fisionomia o sobressalto do marinheiro em perigo, nos movimentos umas ligeiras crispações, que lembravam o balanço do navio.

Era um capitão no seu tombadilho; as sombras do passado e do futuro, as vagas do grande oceano que o embalava; a confissão da filha, o vendaval.

E assim passeava sem se dirigir a ninguém; falava sem se voltar para Rosalina, parecia conversar com Deus, ou com o demônio! Saíam-lhe da boca as palavras escandecidas e ásperas como as pedras de um vulcão.

— E necessariamente ele vinha cá!... E eu ignorava que a minha casa era frequentada por um Miguel Rizio!...

E voltando-se depois para a filha, como se falasse a um marinheiro, exclamava em tom de ordem:

— Não quero casar-te com um maltrapilho daquela laia! Entendes?! Ele bem o sabe, que me evita, o miserável!... Tenho-te reservado, nome e posição! Somente de ti depende a minha e a tua felicidade, pelo menos enquanto fores bela! Nada tenho que recear daquele mendigo, porque partimos depois de amanhã para Nápoles! Veremos se o maldito *lazzarone* vai lá perseguir-nos! E quanto a ti — bradou ele com mais força, apresentando a cara defronte da de Rosalina — quero que não o tornes a ver!... Entendes?!...

— Sim, senhor — fez timidamente Rosalina.

X

Ir para Nápoles!

Viver na grande capital, com opulência, beleza, mocidade, saúde, alegria, admiradores; isto é, realizar o mais dourado dos sonhos, a mais sonhada das esperanças, o desejo mais querido e a mais brilhante expectativa do coração de uma mulher bela e vaidosa.

Tal era o quadro que Maffei descortinava aos olhos fascinados da filha, tal era a cornucópia abundante, cuja fortuna sufocava de alegria o coração, ainda tenro, de Rosalina.

Do fundo da sua obscuridade, sentia a formosa filha do pescador as convulsões da pérola nas profundezas do oceano. Era a sede formidável de luz e de brilho! De admiração e de inveja! A febre de aparecer e ofuscar! O direito da beleza e a impaciência do ouro!

Vaidade! vaidade grosseira da carne! que supõe desperdício esquecer na ostra singela e honesta a joia digna de se corromper na cabeça de um rei!

Vai, criança sonhadora! E que te hajas tão ditosa que para ti Nápoles seja somente o que o diadema de uma princesa é para uma pérola.

Porém Miguel?! O querido namorado de Rosalina?!...

Oh! que imprudência... lembrar uma lágrima, quando se trata de todo um futuro de prazeres e galas!

Quem se importa da pétala de rosa, que o trem faustoso do rico, ao passar altivo, esmagou no caminho?!

Todavia, Miguel era um ponto sensível e doloroso no coração da moça ambiciosa. A despeito de tudo, ela ainda o amava, e, no meio dos sonhos de grandeza, tinha para o pobre artista um suspiro de amor e saudade, ainda o via, no fundo brilhante do seu quadro de irradiações e alegrias, sombrio, triste, meio espectro, meio homem, a chorar talvez, com certeza a sofrer. Via-o ela esbelto e delicado, contra a luz das suas esperanças, e sentia projetar-se no disco iriado de seu coração a sombra negra desse vulto querido.

Não há felicidade, por mais completa, que se não ressinta de uma mancha ao menos!

Todo e qualquer obstáculo, por mais mesquinho e miserável que seja, produz uma sombra relativa.

Subtraiam todos os mundos, todos! que o firmamento fique um nada infinito. Então deixem brilhar unicamente o sol, isolado e egoísta. Só ele! E a sua luz a perder-se pelo nada.

Não se pode certamente julgar mais completa e inteira luz; pois bem, tragam depois um grão de areia, só um! Coloquem-no defronte do sol e será perturbada essa imensa pureza de luz! Um mesquinho grão de areia contra a enormidade da luz do sol! Todavia o grão de areia será uma sombra!

Assim também grande e cheia era a taça de néctar, que Maffei entregara à filha, porém nessa taça havia uma gota de fel: era o amor do artista.

A fortuna passara a cobrir Rosalina de beijos, porém nesse aluvião de carícias foi de envolta uma arranhadura.

Pobre Rosalina!

E neste vacilar, entre a felicidade e a dor, entre o bem e o mal, escrevera a Miguel uma carta, contando-lhe, com honesta franqueza, o que se passara, e prometendo-lhe uma entrevista, às ocultas do pai.

O rapaz ficou fulminado ao receber a notícia; entretanto, sofreu todas estas coisas afetando a mais indiferente tranquilidade. Exteriormente parecia no seu estado normal de tristeza e inteligência, e contudo não conseguiria, se o tentasse, ligar duas ideias.

Tinha a lucidez no olhar, porém as trevas no cérebro!

De queixas, nem vestígios!

De resignação — todos os sintomas! Depois da chegada do pescador, o músico nem cuidava de si; esquecera obrigações e talento!

Coitado! Sem família, sem um amigo ao menos, um companheiro com quem dividisse fraternalmente o seu infortúnio, sofria, o desgraçado, essa dor ignorada, que só tem uma expressão — a lágrima; só sabe um caminho — o do túmulo!

XI

A casinha branca ficava situada em um dos extremos da ilha, para as bandas do nascente.

Era um ponto magnífico.

A modesta e simpática vivenda olhava de frente, podemos dizer, sorrindo, para a estrada, que conduzia ao centro povoado da ilha; do fundo saía-lhe correndo, em distância de seiscentos passos, a nossa já conhecida alameda de oliveiras, cujo solo formava um declive suave e fértil, plantado de ambos os lados, com variedade e gosto, até onde o terreno ia pouco a pouco se tornando mais íngreme e estéril com a vizinhança do mar.

Então principiava uma ladeira pedregosa, que ia acabar, em grande distância, numa ampla e formosa praia, de areias claras e batidas livremente pelos ventos.

Do lado direito, avizinhava-se o mar, entre o qual e a casa interpunha-se somente uma clareira, onde Rosalina costumava sentar-se à tarde, e uma moita de espinheiros, espécie de cerca natural, que ali entrançara a natureza, para servir de ameias, que resguardassem as bordas perigosíssimas desse lado.

Do esquerdo, o espaço entre o mar e a casa era desproporcionalmente maior, porém menos cultivado e coberto de uma vegetação enfezada e má. Por entre esse mato nascia uma picada, tão irregular e confusa, e tão dificultada pelos abrolhos e sarças, que quase não se deixava perceber; e tanto mais ingrato era o solo, quanto mais se afastava da casa.

Perto desta era a terra cultivável e solta, mas ia gradualmente se tornando calcarífera até chegar ao estado de pedra, à proporção que se aproximava das bordas da ilha, terminando por um pedregulho alcantilado, inteiramente liso e escorregadio, pelo salpicar constante do pó úmido das vagas, que se despedaçavam contra ele.

A rocha ficava a pique sobre o mar, um precipício medonho! Nas noites claras do estio, alguém que trepasse à penedia até galgar os alcantis aprumados e reluzentes, abrangeria, só com um abraço de olhos, a imensidade dos horizontes celestes e marinhos; e se, chegado à borda do abismo, se debruçasse um pouco sobre a ingremidade da rocha, julgar-se-ia solto no espaço, sem ligação alguma com este mundo e só preso a Deus pelo espírito.

Então sentiria debaixo dos pés os soluços espumosos das ondas, e sobre a cabeça a linguagem enérgica do nordeste, revelando à natureza adormecida os mistérios de criação dos mundos.

E o mugir dos ventos e o rugido colérico do mar lhe pareceriam nesse instante de transporte, o resumo supremo de todas as forças, de todas as paixões, de todas as virtudes, de todos os vícios, de todas as tempestades dos homens e de todas as tempestades dos elementos; chegar-lhe-iam ao coração como o índex fabuloso do universo.

Assim, medonho e belo, era o lado esquerdo da casinha branca, o que o tornava desprezado e quase ignorado, a não ser pelas gaivotas e outras aves aquáticas, que lá subiam nesses cumes, à procura do pouso e da solidão.

XII

Tinha começado o inverno e, apesar disso, a noite marcada para a entrevista dos dois amantes era tão serena, que faria chorar de inveja a vaidosa primavera.

Nem uma nuvem perturbava o aspecto ingênuo e puro do céu.

As oliveiras solitárias e esguias, como toda a vegetação de Lípari, em virtude da leveza da atmosfera, beijavam-se volutuosamente, impelidas pela brisa fresca do mar, e projetavam no chão, contra a luz da lua, uma sombra de triplicado comprimento.

O vento estorcia-se, uivando como um doido de asas e redemoinhava em torno das oliveiras, cujas sombras desenhavam na aspereza do solo fantasmas singulares e monstros extravagantemente disformes.

Às vezes o doido mudava de rumo e quebrava no ar o murmúrio das cantigas dos pescadores, que estendiam a rede do lado do poente.

E assim vagavam, soltas e desarticuladas no espaço, vozes confusas e disparatadas.

O mais dormia silenciosamente.

A casinha branca parecia, ao luar, embrulhada com frio, num lençol de linho alvo.

A lua aborrecia-se, coitada! No seu eterno isolamento!

XIII

Por volta das dez horas da noite um barco costeava a ilha pelo lado da praia.

De vez em quando o vento, caprichoso e vadio, trazia de rastros alguns fragmentos de uma bela barcarola, que necessariamente vinha do barco. Eram as notas de uma chorosa rabeca, espécie de harmonia chorada, ou melhor, de pranto harmonioso. O certo é que, música ou pranto, doía à gente ouvir soluçar daquele modo. Se fosse possível fazer do coração um instrumento e tangê-lo, com certeza havia o som de ser o mesmo que então se ouvia.

O barco vinha-se aproximando lentamente da praia, e lentamente ia-se calando o instrumento; daí a pouco paravam ambos, e um vulto de homem, com ares de pescador, soltando o ferro, pojava na areia.

O barqueiro depositou a rabeca sobre um dos bancos de seu barco, conchegou melhor o capote de pescador e, dando alguns passos pela praia, encarou a silenciosa ladeira, frouxamente clareada pelo luar. Miguel não faltara à entrevista, porém, temendo vir pela estrada e ter que passar pela porta de Maffei, resolvera entrar pelo fundo, disfarçado em pescador; precauções necessárias para não ser descoberto pelo pai de Rosalina. O mar sempre era mais seguro.

Posto em terra, atravessou o espaço, compreendido entre a água e a ladeira e deitou a subir cautelosamente.

Subiu sempre até encontrar a primeira árvore; aí parou e ficou a escutar.

Era tudo absolutamente silencioso. Miguel encostou-se ao tronco da árvore e esperou. Sentia-se mal, o pobre moço! Desde que recebera o bilhete de Rosalina, meditava um meio de salvar a situação, e, por mais que desse voltas à cabeça, nada descobrira.

Agora, prestes a vê-la, encostado à oliveira, com o cotovelo direito na mão esquerda e com a outra escondendo o rosto, fazia castelos magníficos e desfazia-os, com a mesma facilidade. Imaginava as coisas mais absurdas, os projetos mais irrealizáveis.

Lembrava-se de raptar Rosalina, fugir com ela para qualquer parte; ou empregar-se em Rezina, como operário, e especular, como fizera Maffei; ou deixar-se morrer; ou matá-la.

Enfim, mil outras ideias deste gênero encontravam-se, debatiam-se, a morderem-se sangrentas, no cérebro molesto do pobre rapaz, como, na mesma pátria, irmãos se devoram e matam em tempo de guerra intestina.

Assim permanecia ele estático, com o rosto escondido na mão esquerda, invejando interiormente a tranquilidade feliz da natureza, que parecia adormecida a sonhar amores.

— A terra, essa boa mãe — pensava ele — também tem um coração: às vezes parece sofrer, porque geme; sentir alegrias, porque ri; amar, porque soluça; enfim não podia deixar de ter um coração, porque é mãe.

XIV

Enquanto Miguel, encostado à árvore, era todo meditação e cismar, do alto indeciso da ladeira alvejava um vulto trêmulo, cujas roupagens flutuantes se desvaneciam nas sombras transparentes da noite.

O coração do moço estremeceu, como o ferro quando se avizinha o ímã: era Rosalina que se aproximava.

Com aquela cega e santa confiança, que as singelas camponesas têm em si, com o desamparo dos corações que não se arreceiam das trevas nem da luz, descia a ladeira, descuidosa, a filha do pescador, procurando descobrir nas sombras o vulto querido do seu amante.

Assim que o divisou, deitou a correr francamente para ele com os braços abertos.

Mais parecia descer voando, que correndo; Miguel com os olhos do coração via-lhe as asas, que a amparavam no voo.

O vento, repuxando-lhe para trás as saias e os cabelos, contornava-lhe a redondeza correta da cabeça e as curvas volutuosas e macias do corpo; era como se a mão invisível de um gigante a segurasse por trás, e pouco e pouco a viesse aproximando dos lábios de Miguel.

Nessa ocasião para ele Rosalina mais que nunca parecia um anjo; para os amantes — vir de cima — é sempre baixar do céu quando se trata do objeto amado.

Era aquilo um descer vertiginoso e quase fantástico: as pedrinhas do chão desprendiam-se e rolavam com ruído até à praia; os belos e adestrados pés de Rosalina corriam pelo solo conhecido, com a facilidade com que deslizam pelo teclado os dedos de um mestre de piano.

Atravessando a alameda, ora recebia em cheio o luar pelos claros da folhagem e pelos espaços de entre as árvores, ora se cobria rapidamente de sombra, para reaparecer logo na luz. Miguel correu ao encontro de Rosalina, recebendo-a em cheio nos braços.

Vinha ofegante de cansaço, e nesse estado se abandonava de si, para de todo se entregar negligentemente aos braços do amante.

Assim ficaram por algum tempo silenciosamente abraçados; ela a respirar sofregamente e ele a fartar-se de vê-la, queimando-a com esse olhar, que parece o reflexo vermelho do incêndio que vai pelo coração.

Desabraçaram-se para segurar as mãos um do outro; os amantes, quando sós, nunca têm as mãos ociosas.

— Oh! Como estão frias! — disse Rosalina, tomando entre as suas as de Miguel.

— Tenho-as frias como tenho despedaçado o coração. Não há calor nas ruínas! — volveu tristemente Miguel e recolheu-se a cismar; porém, pouco depois, tomado de súbita agitação, ergueu com força a cabeça e rompeu a falar desordenadamente, como se a dor, que desde a véspera prendera em ferros, rebentasse à vista de Rosalina, medonha e trovadora, rompendo cadeias, violando represas.

— Ouve, Rosalina! Eu tinha uma fortuna, uma esperança, uma alegria, uma única felicidade, desde o princípio de minha vida, isto é, desde que te conheço, meu amor! Teu pai entendeu para si de transformar numa chaga sempre aberta isso que era o meu único sorriso. Vais partir para Nápoles e vais rica; conheço bem os costumes dessa cidade: são maus e perigosos, principalmente para os ricos! Serás porventura a mesma quando lá te vires, cercada de opulência e de aduladores?... Essa dúvida é que me mata!...

E soluçou.

— Miguel!...

— Tenho medo, minha Rosalina; pode muito a ausência! Tenho medo de que te esqueças por uma vez do pobre artista! E que seria de mim se me deixasses de amar? Desaparece, e nada mais aqui fica que me aproveite! Apaga a luzinha que conduzia o viajante, e vê-lo-ás perdido; toma o cajado ao cego, e vê-lo-ás cair; priva do sol a planta, e vê-la-ás murchar; arranca do desgraçado a crença em Deus, e vê-lo-ás sucumbir. Pois bem! Tu és a estrela que me guia ao futuro, o cajado que me ampara na vida, a luz que me dá crenças e a crença que me dá forças. Desaparece e eu cairei nas trevas e morrerei sem crenças! Repito, Rosalina! — disse Miguel comovido e enxugando as lágrimas — Repito! tenho medo que te esqueças para sempre de mim!

— Não, meu amigo, não me é mais possível esquecer-te — volveu a moça, conchegando para si o amante e passando-lhe os braços em volta do pescoço. — O amor que te tenho, meu amigo, não entrou neste coração já feito e desenvolvido, não! ele aqui nasceu, fecundado por ti, foi pequenino e hoje está crescido, eduquei-o pouco e pouco, como se educa um filho querido, que sai de nossas entranhas; amamentei-o com a minha primeira esperança; alimentei-o depois com a tua dedicação; santifiquei-o ao calor religioso de teus sacrifícios e finalmente robusteci-o ao clarão vivificante do teu talento. Amei-te, porque és nobre, forte e dedicado! Hoje o nosso filho querido, o nosso amor é dono absoluto de mim; o coração, com a fraqueza de mãe, habituado a fazer-lhe todos os caprichozinhos, já não reage. E parece-te que eu seria capaz, que poderia, ainda se quisesse, enxotá-lo de casa? Não sabes que depois da recusa de meu pai eu mais e mais te quero? Oh! Mas ele consentirá em tudo! Meu pai é bom e ainda não te conhece bem; logo que assim aconteça, gostará necessariamente de ti. E muito mais sabendo que eu te amo tanto e tanto!

E dizendo isso, Rosalina cada vez mais estreitava o amante com carinho.

E ele, com os lábios juntos aos dela, sentia caírem-lhe dentro aquelas palavras como beijos incendiados.

Todas as trevas de seu passado dispersaram-se espavoridas como um bando de aves negras ao contato da luz daqueles beijos. Sentia-se novamente feliz, dessa felicidade, ou talvez, dessa vaidade que enche os corações ainda moços e enamorados, quando embevecidos recebem dos lábios da mulher amada a confirmação da própria fortuna. E assim foi que Miguel, possuído do inesperado contentamento, rindo e chorando, murmurou em segredo a desordem junto aos ouvidos de Rosalina:

— Fala! Fala! Meu amor! Continua a dizer dessas coisas! Enlouqueço de te ouvir dizer assim a nossa felicidade! Dize! Dize que me amas muito e que me amarás sem fim!

E o roçar dos lábios dos amantes desprendeu um beijo, semelhante à chispa, que o atrito do ferro levanta da pedra.

Uma faísca é sempre perigosa: pode fazer explosão.

Súbito, um jato de luz vermelha inundou rápido o grupo abraçado dos dois amantes.

Se Satanás existe, deve ser dessa cor a sua auréola.

Rosalina soltou um grito horrorizada, grito igual ao da cotovia ao sentir a bala do caçador, e caiu sem sentidos nos braços de Miguel, que, imóvel, hirto, chumbado à terra, parecia uma estátua de bronze, tendo nos braços uma mulher bela e pálida, de uma beleza e de uma palidez de mármore.

XV

Continuava o sopro brando e sussurrante da brisa do mar. Rosalina tinha a cabeça pendente para a terra e os seus cabelos, indiferentes, brincavam ao soprar travesso da brisa com as pedrinhas soltas na ladeira.

O silêncio principiava a coalhar.

A cinco passos de distância, de pé, com uma lanterna furta-luz na mão esquerda, e com a direita sustentando uma machadinha de abordagem, estava do alto Maffei, pálido de raiva, com a boca cerrada a salivar bile. Luzia-lhe o olhar com a mesma vermelhidão da lanterna; os cabelos empastados de suor, caíam-lhe úmidos pela testa. Estava medonho.

Era um quadro sombrio e lúgubre.

A figura austera do velho, mergulhada na penumbra, contrastava com o grupo iluminado do primeiro plano. A atmosfera começava de se fazer carregada e pouco e pouco escondera a lua.

O foco da lanterna aumentava a densidade das sombras, onde os olhos de Maffei brilhavam como os de um gato bravo. Esse olhar tinha as fosforescências da pupila do tigre.

O desgraçado Miguel sentia mais que nunca a influência magnética daqueles olhos que o fitavam da escuridão; afiguravam-se-lhe a própria sombra a espiá-lo.

Nessa ocasião a lanterna tinha um quê de humana e atrevida: parecia uma cara risonha e irônica a contrair-se no vidro sujo de pó e a deitar para fora a língua comprida e ensanguentada, língua de luz, cuja claridade doía como um insulto.

Quando essa claridade caiu em cheio no rosto de Miguel produziu-lhe o efeito de uma bofetada. Estremeceu e corou de vergonha.

Felizmente voltara-lhe o sangue-frio.

O velho, com um gesto imperioso e grosseiro, ordenou-lhe que o acompanhasse; Miguel maquinalmente abaixou a cabeça, enquanto Maffei, sempre calmo, deu-lhe indiferente as costas e pôs-se a subir a ladeira.

Rosalina permanecia sem sentidos nos braços do amante, que, com tranquila delicadeza, segurou-a pelos joelhos com a mão direita e com a esquerda amparou-lhe a cabeça lânguida, e, como uma mãe faria ao pequenino, deitou-a carinhosamente no colo: depois, segurando-lhe as costas com o braço, fê-la descansar com cuidado a cabeça em um dos seus ombros, e começou a seguir silenciosa e vagarosamente o velho.

A luz da lanterna ia gradualmente amortecendo, à proporção que no céu o negrume se desenvolvia.

No meio do silêncio, destacavam-se os passos cadenciados do velho e o ranger de galhos e folhas secas, que o outono arrojara ao chão.

Um ou outro passarinho, enganado pela claridade da lanterna ao passar Maffei, piava do seu esconderijo, cumprimentando o dia artificial.

Quando a gente sobe uma ladeira, qualquer peso estafa logo e parece avultar extraordinariamente.

Depois de cinquenta passos Miguel sentiu-se exausto. À proporção que ia subindo, mais íngreme, mais pedregosa e mais difícil era a ladeira; firmava o pé, e a pedra em que o firmava desprendia-se a rolar ruidosamente até a praia; então o equilíbrio e a agilidade substituíam as forças, que aliás lhe minguavam.

Para animar-se apertava de vez em quando o corpo de Rosalina, ao que a desfalecida respondia com um suspiro tranquilo e duvidoso, como o ressonar de uma criança adormecida.

Porém pouco e pouco foram desaparecendo os últimos recursos e reproduzindo-se as dificuldades: o suor jorrava em bagas da fronte do moço; as pernas tremiam-lhe; a vista perturbava-se; a língua seca; o coração doído; a cabeça perdida; a respiração cada vez mais demorada e mais forte. O corpo de Rosalina parecia de chumbo; o cansaço fizera dele um corpo de gigante. Ora desanimava, ora reagia; as forças iam e vinham. Era um vaivém de agonias.

E nessa vertigem acompanhava ele com a vista esgazeada a luz vermelha da lanterna, que gradualmente ia-se afastando, diminuindo sempre.

Sem saber por quê, ligava certa correspondência entre as próprias forças e o bruxulear trêmulo da flama; parecia-lhe que, extinta aquela luz, faltar-lhe-ia o ânimo para o resto do caminho; pedia mentalmente a Deus a vida para ela, com o mesmo fervoroso interesse como a pediria para si.

Contudo, a lanterna estava já nos seus últimos arrancos.

O velho tinha com vantagens de forças aumentado o espaço entre si e Miguel; mais dez passos, oito! Cinco passos! Dois... e chegou!

A lanterna escondeu-se, a luz desapareceu para Miguel. O rapaz vacilou, ia cair! Equilibrou-se!...

Um vozear confuso e penetrante parecia-lhe dizer aos ouvidos — ânimo!

Um esforço mais! Um último arranco!

O moço reuniu os destroços de suas forças; beijou com os lábios cobertos de suor o rosto gelado de Rosalina. e cortou de carreira os últimos trinta passos que lhe faltavam.

A lanterna crepitara o seu último clarão, podemos dizer, o seu último suspiro, brilhou mais forte e morreu!...

Nisto, Miguel acabava de atravessar a porta do fundo da casinha branca e caía desamparadamente no chão, com Rosalina a seu lado.

Desabou, quase morto.

O suor corria-lhe de todo o corpo: a caixa dos pulmões erguia-se e abaixava-se com a sofreguidão de um fole enorme fazendo grande rumor a respiração ao sair; a voz desaparecera; as pálpebras fecharam-se; o suor convertera-se em umidade pegajosa e doentia. como a última transpiração de um tísico.

Sentia vertigens e vontade de vomitar. Era um incômodo comparável ao enjoo do mar.

XVI

O pescador foi ao interior da casa e pouco depois voltou. Com a presença do velho, Miguel ergueu-se de um pulo — era outra vez um homem.

Num dos ângulos sombrios de um quarto, Ângela, ao clarão minguado da luz do azeite, orava à Madona; a claridade mortiça do nicho escorria até à varanda e batia em cheio na palidez nublada do rosto de Rosalina. Estava sinistramente encantadora.

Maffei aproximou-se dela, arrastou-a até o leito e voltou.

Um gemido da desfalecida atraiu para aí no mesmo instante Ângela; para os corações extremosos, um gemido é sempre um apelo urgentíssimo.

Voltava o velho com as mãos vazias e o olhar tranquilamente feroz; Miguel não era covarde, esperou-o sereno, de braços cruzados.

— Precisamos nos entender, disse Maffei com aspereza. Venha! E tomou o lado dos abrolhos, à esquerda da casa.

Miguel seguiu-o silenciosamente. Entranharam-se na picada e desapareceram. O caminho não era frequentado, como que se tornava mais difícil e em parte quase intransitável. Miguel apenas o conhecia; o velho, porém, apesar dos obstáculos e do negrume da noite, que se tomara sombria, caminhava desembaraçadamente e até com pressa; o outro seguia-o, perdendo-o às vezes de vista, cortando com dificuldade a vegetação enfezada, que lhe obstava a passagem; os galhos chicoteavam-lhe as pernas e o rosto; diversas partes do corpo sangravam com os espinhos, duas gotas de sangue, que lhe corriam pela face, lembravam duas lágrimas vermelhas.

Depois de vencerem duzentos dificultosos passos, deram subitamente com a rocha; achavam-se defronte do mar.

As lufadas fortes do vento anunciavam próxima tempestade.

O tempo parecia colérico e os dois homens calmos e sombrios.

O velho assentou-se tranquilamente na única pedra solta que havia e com um gesto convidou o companheiro a fazer o mesmo.

Miguel aceitou o convite e ficaram juntos. A pedra era pequena, o que os obrigava a ficarem encostados, unidos, sós, como dois bons amigos de infância.

Depois de algum silêncio, Maffei abriu a falar, porém era como se o fizesse por mera formalidade; falava como se estivesse lendo, era como se proferisse as frases convencionais de um juramento perante um tribunal. Aquelas palavras metódicas e sem expressão verdadeira lembravam a missa. O velho falava como um padre.

— Teodoro Rizio — principiou ele — viveu para vergonha sua e da família. Era devasso e encontrado constantemente bêbedo pelos alpendres; foi acusado de assassino e morreu preso numa prisão de Leorne. Sua desgraçada mulher não o sobreviveu por muito tempo, morrendo pouco depois, de tísica, dizem uns, de miséria, dizem outros; de vergonha, digo eu.

— De desgosto... — emendou Miguel, deveras chocado com as palavras grosseiras do pescador, que lhe caíam na cabeça, pesadas e inteiriças, como paralelepípedos de pedra.

— Não é isso verdade?... — perguntou Maffei.

— É — fez secamente o moço.

O velho continuou sacudindo os ombros, cada vez mais automaticamente.

— Ficou desses desgraçados um filho; não sei se herdou do pai todos os vícios, porém é certo ter herdado toda a miséria, que o fez peregrinar pelas ruas de Roma, sem pão, sem lar, sem família. É isto ou não verdade?

— Meu pai — disse humildemente o filho de Teodoro — não me deixou miserável, deu-me uma rabeca e ensinou-me a tirar dela o pão para a boca.

— Mas foste um vagabundo!

— Fui.

— Bem — continuou o velho. — Eu também fui pobre, eu também tenho família, no entanto nunca fui desgraçado!

— Porque foi sempre feliz — disse indiferente o moço.

— Mas sou muito ambicioso! Muito! Entendes?! — disse o velho arregalando os olhos e batendo convulsivamente na perna de Miguel.

— Já o sabia — respondeu este com calma.

O velho continuou como se falasse para si:

— Fui pobre, é verdade, mas trabalhei e trabalhei muito e por muito tempo, para ajuntar alguma coisa; poupei, especulei e consegui entesourar ainda mais! Hoje sou rico! Bastante rico! Entendes! Porém, mais do que nunca ambicioso. Preciso de minha filha para subir, talvez venha a ser nobre, e não para dar-ta a ti ou a outro qualquer boêmio.

O moço resmungou alguns sons ininteligíveis.

— Bem sei — prosseguiu mais brando o velho — de tudo quanto se tem passado; Rosalina sofrerá, por isso que te ama, mas espero que em breve esteja tudo acabado. Tu ficas aqui e nós partimos. Por ora aceita isto para te arranjares.

E assim dizendo procurou meter na mão de Miguel uma bolsa com dinheiro, que tirara da algibeira.

— Guarde-o! — disse este com altivez. — Não preciso de esmolas!

— Não queres então aceitar? — insistiu Maffei.

— Não! — disse resolutamente Miguel, levantando-se.

— Contudo creio que não nos aparecerás em Nápoles...

— É impossível...

— Impossível?!... — perguntou Maffei, cuja cólera principiava a transpirar. E que vais lá fazer? Sim! que vais buscar?!...

— Ver Rosalina... disse naturalmente Miguel; procurá-la, dizer-lhe que a amo e amarei sempre!

— É essa a tua resolução?

— Até a morte.

A resoluta calma do artista incendiou o ânimo do velho, e, transformando-o rápido como um raio, assistiu-lhe sangrenta a raiva por todos os poros, como se dentro lhe rebentasse um aneurisma de cólera.

Rangiam-lhe os queixais, roncava-lhe a respiração, partiam-lhe chispas diabólicas dos olhos; as unhas, de tão cerradas, sangravam-lhe as palmas. E medonho e insolentemente nervoso, levantou-se cambaleando.

Cravou por algum tempo no moço o olhar esfogueado e com uma voz, que seria a do tigre se o tigre falasse, bradou:

— Preferes antes morrer! Desgraçado! A deixar de vê-la? Não é isso? Fala!

O velho roncava estas palavras na posição da fera que arma o pulo. Firmado nas plantas, com as mãos abertas como duas garras, encarava feroz Miguel, como suspenso à espera da resposta suprema.

O amante de Rosalina depois de breve perturbação meneou a cabeça afirmativamente.

Este gesto foi o grito de guerra!

Um bramido selvagem ecoou nas cavernas do peito do velho! E a pantera arremeteu-se contra a vítima!

Abalroaram-se!

XVII

Entretanto as nuvens negras cresciam no céu, como os fantasmas crescem na sombra, como o remorso cresce no coração, como a ferrugem cresce no ferro e como a úlcera cresce nos pulmões.

Em pouco o céu se convertera em trevas.

O mar, cada vez mais encarapinhado, quebrava-se de encontro à rocha, salpicando-a de cuspiduras espumosas e grossas, como as de um ébrio.

Com este salivar a pedra se tornava mais e mais escorregadia. Já o pé não encontrava resistência.

Peito a peito, braço a braço, lutavam os dois homens; ora escorregava um e se firmava no adversário; ora cambaleava o outro e restabeleciam o equilíbrio.

A luta continuava.

Abraçaram-se mais. Estreitaram-se com o frenesi de dois amantes moços que se encontram depois de longa ausência.

E lutaram!

De repente deslocou-se o ar com a detonação da queda de um só corpo.

Foi uma queda para dois; rolavam formando um só vulto.

Lembrava aquilo uma besta informe nas agonias da morte: os dois formavam uma fera.

Era a mocidade fundida na cólera de um velho. A força dos vinte anos e a cólera dos cinquenta eram o motor dois do bruto negro, que engatinhava, rolava e se torcia na lisura da pedra, um monstro marinho, fora d'água.

À claridade fosfórica do mar a besta movia-se em todos os sentidos e tomava novas proporções; parecia fantasticamente ora crescer, ora diminuir.

A boca espumosa do velho esfregava-se pela cara do moço, segredando-lhe em tom terrível e quebrado pelo cansaço estas palavras:

— Pois morrerás! Miserável!...

E mordiam-se.

— Pois morrerás!

E procuravam matar um ao outro.

Lutavam!

E a rocha cada vez mais escorregadia, o céu mais negro e o mar mais bravo.

A luta tendia a enfraquecer: a fera ia sossegando; a massa bruta dilatava-se: a mole negra parecia diluir-se.

Era o cansaço.

Desfaziam-se como uma nuvem negra no horizonte.

Como um urso enorme e velho, arrastavam-se surda e vagarosamente para a borda do precipício.

Miguel se apercebera disso e reagiu: com um esforço supremo lograra tomar sob si o velho, ficando de gatinhas sobre ele. Tinha um aspecto feroz; o sangue escorria-lhe por entre os dentes e pelas ventas; a posição, como o olhar, eram irracionais. Nesta atitude, ia atirar-se à garganta do adversário, quando este, concentrando o resto das forças, reagiu por sua vez: com um empurrão expeliu de si o moço.

Miguel rolou pela pedra até segurar-se nas asperezas das bordas do precipício.

Maffei não lhe dera tempo para mais, de um salto deitou-se ao comprido no chão, e engatinhando com ligeireza de tigre, agarrou-o pelas costas.

Cinquenta pés os separavam do mar, e nesse ponto a pedra era inteiramente íngreme, quase cavada.

Miguel torcia-se todo nas mãos do velho.

De repente um grito agudo e rápido, sucedeu a uma gargalhada surda, estalada pelo cansaço. Gargalhada como só sabem dar um velho mau ou uma mãe doida.

Maffei de bruços sobre a rocha, via tranquilamente rolar pelo precipício o corpo ensanguentado de Miguel. Um sorriso cansado e triunfante encrespou-lhe os lábios esfolados, ao ouvir o ruído cavo de um corpo que cai na água.

A tempestade, que se preparava ameaçadora, desabou encerrando o espetáculo; e o mar, contente de sua presa, gargalhou com seu rir de espumas.

Começou a chover copiosamente.

Tranquilo, como nos seus dias mais tranquilos, o velho levantou-se, sacudiu a roupa molhada e pôs-se a andar para casa silenciosa e pacificamente, como uma menina quando volta do banho do mar.

Entretanto a tempestade, iracunda, flamejava além.

XVIII

No dia seguinte, Maffei e a família abandonaram a formosa ilha, e, no seu completo isolamento, debatia-se a casinha branca nas vascas de um incêndio, ateado de propósito pelo pai de Rosalina.

Defronte daquele chamejar doido e desapiedado, Castor, o cão, uivava plangentemente.

Segunda parte

I

Na célebre Rua de Toledo, em Nápoles, porventura mais bela hoje do que no ano de 1843, época em que sucederam os fatos que vamos narrando, figurava uma casa cinzenta com cimalhas de mármore cor-de-rosa.

O edifício tinha trinta metros de altura sobre sessenta de comprimento, e, a julgar da colocação e feitio de portas e janelas, e atentando para as folhas de acanto que ornavam o ábaco das colunas de dez diâmetros de altura e pertencentes sem dúvida à rica e variada ordem coríntia, era talhado pela escola antiga.

A face dianteira, posto que um tanto chata, era bem arquitetada, podendo ser dividida em três partes distintas. — A central, com cinco janelas de honra e três portas de entrada geral, sendo a do centro mais larga e mais guarnecida — e as duas partes laterais, inteiramente iguais entre si, com três janelas cada uma e fechando em graciosa curva as extremidades do frontispício.

Destas extremidades partiam duas alas de colunas, que, sustentando um esférico avarandado de balaústres do mesmo mármore das cimalhas, ladeavam elegante e circularmente o edifício.

O portão central com pilares de mármore também cor-de-rosa, abria para um átrio, espécie de corredor quadrado, cujas paredes betumadas com terra cozida, apresentavam em alto-relevo, assuntos mitológicos, notando-se alguma monotonia na disposição simétrica das figuras meio humanas e meio irracionais, sendo na maior parte fabulosas.

O chão desse corredor, ladrilhado de pedra de diversas cores, terminava por uma ampla escadaria de pedra calcária, dividida em dois lances, que se encontravam na extremidade superior. Aí uma varanda gradeada com vista para o corredor dava passagem para o interior da casa por uma larga e bonita porta, que comunicava imediatamente com a sala de espera, na qual uma infinidade de estatuetas, vasos de pórfiro e outros muitos variadíssimos objetos de arte distraíam a atenção de quem lá se achasse.

Seguia-se a sala de visitas, preparada e guarnecida com gosto e rigor, sobressaindo do roxo-escuro das paredes a brancura opaca dos bustos e estatuetas de jaspe, colocadas de espaço a espaço sobre trabalhadas peanhas de basalto; magníficas mesas de sicômoro, caprichosamente talhadas, refletiam-se, pejadas de delicadas teteias, nos espelhos oitavados com moldura de metal dourado embutido no ébano; o chão, de madeira brunida, luzia como uma lâmina de aço polido, refletindo o fundo artisticamente talhado das cadeiras e das mesas.

Atravessavam-se ainda algumas casas, destinadas a salões de baile, alcovas particulares e câmaras de recreio, tais como biblioteca, sala de fumar, quarto de armas etc. etc. até chegar a uma enorme varanda que costeava em semicírculo de um lado a outro toda a casa.

Efetivamente, dessa varanda gozava-se de uma vista esplêndida e variadíssima; das janelas da frente devassava-se a *Chiaja, Vila Realle* e lados de *Capo di monte*; quem aí estivesse veria o formigar constante e geral da população e sentiria o confuso motim dos cafés, restaurantes, ourivesarias e casas de modas, de que já então abundava a Rua de Toledo; daí envolveria agradavelmente com a vista o soberbo *Palácio Real* com o seu jardim à beira do golfo, e os seus grupos de bronze no começo do jardim.

Do fundo davam as vistas sobre uma magnífica chácara, pertencente à casa, bem plantada e guarnecida, tendo no centro um belo chafariz de mármore rajado. Galgavam depois os olhos os grupos amontoados de casas e quintais, e alcançavam finalmente os pitorescos arrabaldes, anunciados pela copa de árvores seculares.

II

Nada há tão desastrado e perigoso como mudar repentinamente de posição. Modificam-se os caracteres mais firmes e delicados e confrangem-se as crenças mais arraigadas; é um desmoronar doloroso, é um desesperar de náufrago: ilusões desfeitas, convicções profanadas, afetos destruídos, tranquilidade nula, amor proscrito — tais são os efeitos da luta desigual dos hábitos de toda a vida com o capricho vaidoso de um dia; tais são os restos que, após a tormenta, sobrenadam à flor do oceano revolto da alma, como restos de um coração que naufragou.

Grosseira e estúpida ambição é a que leva o homem a trocar a paz segura do lar pela suposta fortuna.

Foi isso que sucedeu à família do pescador — enriqueceram.

Para alguns enriquecer é naufragar, não em alto-mar, porém em alta sociedade.

O vício é a fome desse naufrágio.

Maffei enfronhara-se na opulência como numa casaca alheia: sentia-se mal; incomodavam-lhe as mangas compridas demais, porém a tudo fechava os olhos, contanto que desses sacrifícios resultassem para ele dignidades e considerações.

Era o seu sonho dourado.

E com essas honras e com esses supostos títulos acharia ele a felicidade?

Não, decerto, porque a verdadeira felicidade é incompatível com o ruído e com o fulgor. Não, porque ela é tranquila, singela, econômica e alheia a tudo que é brilhante e espetaculoso.

A felicidade, como o mais neste mundo, é relativa, e só pode subsistir dentro de seus competentes limites.

Maffei, cego pela ambição, buscava uma felicidade alheia. Desgraçado!... Fatalmente seria vítima da sua cegueira, tanto quanto uma ave que tentasse mergulhar ou um peixe que quisesse voar.

A casa cinzenta da Rua de Toledo era propriedade do antigo pescador.

Com algum jeito, conseguiu introduzir nela o jogo elegante; receber todos os sábados e gastar todos os dias.

O ouro é para o parasita o que o ímã é para o ferro: em pouco tempo encheram-se os salões de Maffei. E no meio daquela gente que o adulava, o rico burguês sentia-se grande, invejado e respeitável.

Entretanto, aquela roda se desenvolvia e multiplicava com a prodigiosa fecundidade da larva.

Mas donde lhe vinha essa gente?

Não sei!... A podridão que responda donde lhe vêm os vermes.

Tudo neste mundo tem a sua consequência, o seu séquito próprio de misérias, o seu acompanhamento natural e espontâneo — a glória tem a vaidade; o amor o egoísmo; a podridão o verme. É a lei fatal dos contrastes e dos extremos tocados: não há sentimento que não tenha uma extremidade na terra e outra no céu, um pé no berço e outro no túmulo, um olho na luz o outro na treva.

Foi por isso que, ao cabo de três anos, Maffei tinha com heroicos esforços, cevado, relacionado e habituado aos costumes de sua casa uma roda de homens elegantes, que fumavam, bebiam e jogavam à custa dele.

Houve quem lhe proporcionasse ocasião de especular com os seus bens: triplicou-os. Já era poderoso e ridículo, antipático e adulado; é justo que viesse a ser rico e desgraçado.

E, com efeito, passava os dias entregue sempre a esse cogitar aborrecido, que produz a preocupação doentia dos homens excessivamente ambiciosos; nada desfrutava, nada o distraía, nada vencia arrancá-lo das profundezas das suas preocupações; vivia a mergulhar no fundo dessa cisma constante e estéril, que faz de um homem um bicho insuportável.

Maffei seria insuportável, se não fosse rico.

Mesmo durante o sono, o pobre-diabo não vivia menos apoquentado; nessa segunda existência aturava coisas horríveis!

Às vezes, numa especulação, perdia todos os bens e via-se a esmolar inteiramente pobre com a filha; outras vezes, dava para roubar e era preso como ladrão, condenado às galés e coberto de grilhões e pancadas; noutras ocasiões era Miguel que lhe aparecia formidável, saindo do mar, cheio de sangue, de limo e de cólera, a exprobrá-lo das suas torpezas, a cuspir-lhe na cara e a espancá-lo, como se espancasse um cão: e, coisa mais singular, Maffei, que acordado só se lembrava de Miguel com indiferença e desprezo, durante o sonho temia-o covardemente, e deixava-se bater por ele, trêmulo e suplicante a seus pés, confessando as próprias culpas e reconhecendo a razão da parte do adversário. Um dia, Rosalina afigurou-se-lhe descomposta e sem pudor a injuriá-lo; outra vez, foi enforcado e seu carrasco era Cristo, que do alto do cadafalso, poético, louro, cheio de bondade, sorria-se piedosamente para ele; cometia às vezes sacrilégios e então acordava em gritos e prantos; enfim, Maffei durante o sono sofria horrivelmente dominado e combatido por um inimigo tremendo e mau, que o fustigava e repelia apesar de sair dele próprio.

Queremo-nos referir a esse — eu, que durante o sono sai de nós e à parte constitui livremente a sua individualidade, pensando, praticando e resolvendo a seu bel-prazer, sem nos ouvir, sem nos consultar.

Vezes há que, durante o sonho, a despeito da nossa honra, roubamos, a despeito da nossa coragem, choramos aos pés de um inimigo, e a despeito do nosso amor, matamos o próprio pai ou irmão. E o — eu — independente e arbitrário dos sonhos faz-nos caprichosamente assassinos, ladrões e covardes, sem por isso ter nenhuma responsabilidade ou castigo.

Por outro lado Rosalina transformava-se de dia para dia. Já não dava a mais pálida ideia da antiga camponesa, formosa e louçã, cheia de singela ternura, amante e amada, mulher na idade, criança na inocência. Além da beleza nada mais restava desse encantador, mais divino que humano, mais anjo que mulher, desse ente que outrora com a sua garganta e o seu coração incensava de poesia e cantos matutinos a casinha branca.

Fizera-se elegante e não sem trabalho.

Teve de vencer certos obstáculos renitentes como a linguagem, a princípio, depois os movimentos, a voz, o olhar, o sorriso, tudo, toda essa beleza fora necessário desmoronar, e com que dificuldade! para sobre as ruínas dela construir-se outra beleza mais falsa, mais cara e menos rara — a elegância. A elegância começa sempre onde a natureza acaba, é uma viciosa continuação pelo homem.

As regras do canto, os passos da dança, a música, os preceitos de civilidade, a distinção afetada, a gramática, são coisinhas fáceis de aprender na meninice, porém obstáculos assustadores na idade em que já se não tem respeito aos mestres.

Todavia, Rosalina venceu todas as dificuldades.

Agora não a incomodavam mais os vestidos justos, decotados e de enorme cauda, afizera-se aos sapatinhos à moda francesa, e o triunfo seria completo se, de vez em quando, sob os invólucros de seda e de rendas bordadas, não quisessem as desenvoltas carnes da outrora camponesa, proclamar a sua independência, violando colchetes e estalando alguns pontos mais delicados do vestido.

Quanto não custou habituar aquelas belas mãos tão morenas e tão gordinhas às luvas apertadas!

Os dedos repeliam os anéis, o pescoço o colar, os braços a pulseira!

Como não suspiravam os delgados pés pelos sapatos frouxos com que dantes corriam? E os cabelos? Os belos cabelos pretos de Rosalina, que dantes tão vaidosamente se ostentavam ao sol com seus reflexos de azul-ferrete? Coitados! Choravam agora escondidos e presos nos caprichosos penteados cheios de flores artificiais e pedrarias, mas na sua raiva tinham razão os cabelos, que tão bonitos como aqueles, compravam-se falsos penteados, porém tão belos cabelos como dantes mostrara Rosalina, só os pudera ostentar quem os possuísse naturais.

Em suma, Rosalina já não era uma rapariga, era uma senhora.

Conhecia todos os segredinhos das salas, já sabia sustentar com um sorriso fingido as visitas de cerimônia, aturava maçadas sociais com aparente alegria, ajeitara a fisionomia a sorrir e ficar triste, segundo a ocasião, como impõe a sábia delicadeza, tinha amizades convencionais, ares de proteção e tinha também sempre engatilhado nos lábios um formidável — Oh! — para todas as pessoas que lhe mereciam respeito e acatamento.

Estava completa a obra.

O ouro derretera-se, dele levantaram-se as duas espirais de fumo — Civilização e Hipocrisia. Estas duas forças combinadas produzem um fluido capaz de transformar um anjo em mulher e uma mulher em demônio. Rosalina respirou esse fluido e aprendeu a grande ciência da vida — sabia esquecer, sabia odiar e sabia mentir.

Quando a gente chega a conhecer tanta coisa, não pode mais, nem precisa aprender o que é — ser boa e honesta. Maffei cada vez estava pior.

A despeito da sua tão próspera fortuna, entristecia progressivamente como um velho urso de feira; vivia cada vez mais concentrado e sombrio, procurando o isolamento e a solidão.

Afetava uns instantes de prazer quando se metia na roda dos amigos; chegava mesmo, com força de vontade, a arranjar uma espécie de sorriso artificial, com que os obsequiava; consistia essa espécie de sorriso em dilatar os lábios, avincar as peles franzidas do rosto, que lhe sustentavam as mandíbulas, e por entre os dentes soprar uns sons bestiais, que se podiam classificar entre uma nota desafinada de clarinete e o ronco gutural de um porco.

Estava, no entanto, civilizado — tinha cabeleireiro próprio, vestia-se com distinção, bebia licores que estragam o estômago e o cérebro, e jogava tão bem como qualquer fidalgo de alta linhagem.

Que lhe faltava, pois?

Simplesmente duas coisas — esperar mais algum tempo e casar a filha com algum titular de pura nobreza e reumatismo gotoso. Bela expectativa!

Da família, foi Ângela quem menos se modificou. Cada vez mais devota, encerrava-se no quarto, indignada contra tudo e contra todos.

— Que não a procurassem! Não se queria comunicar com pessoa alguma. O que, digamos de passagem, sobremaneira satisfazia o ex-pescador, que pensava consigo: — Ora, que diabo vai fazer nas salas esta velha ridícula e burguesa, senão me incomodar a mim e divertir os mais? Antes trate ela de liquidar esse restinho de vida, que para pouco ou nada lhe poderá servir.

Contudo, ia a boa mãe Ângela bocejando as suas intermináveis orações e transformando insensivelmente a religiosidade em mania. Mais dois passos e despenhava com certeza aquela carga de ossos no idiotismo.

A religião, como tudo que se propõe um fim legítimo e necessário, ao mesmo tempo que é manancial de inúmeras virtudes e felicidade comum, é a fonte sombria de moléstias espirituais e desregramentos da razão.

As grandes causas só produzem efeitos ótimos e péssimos.

III

Fatal metamorfose!

Maffei e a filha rolavam pelos despenhadeiros da sociedade; dera-lhes o primeiro empurrão a cobiça, a posse o segundo, depois o orgulho e finalmente o vício. No cair vertiginoso tentavam, baldadas vezes, agarrar-se às asperezas do precipício e não conseguiam mais do que sujar as mãos, porque a lama faz escorregar e suja.

Afigurava-se-lhes entretanto estarem a voar para cima; têm destes efeitos singulares as grandes quedas. Às vezes supomos subir quando evidentemente caímos. Viam tudo luzir em torno deles, sem se lembrarem que a lama também tem o seu brilho, em lhe batendo a luz... do ouro.

E caíam! Caíam sempre, porque o mal é como a lua — cresce ou diminui, nunca estaciona.

Uma noite, seriam duas horas da madrugada, os salões da casa da Rua de Toledo reverberavam ao clarão aristocrático das mangas multicores de cristal.

Era noite de baile.

O baile tem um quê de morcego — só aparece à noite e rouba as cores às raparigas.

Havia grande folgança na casa, porque muito se ria e dançava; a festa chegara às fases do frenesi e da loucura.

Em uma das salas porém, lívido, monstruoso e feroz, encerrado ali como uma fera na jaula, o jogo devorava, silenciosamente, terras, palácios, joias, dinheiro e reputação; era um tragar de jiboia — engolia sem mastigar.

O silêncio indicava que o monstro fazia a digestão surda e pesada, porém fortíssima — desgasta o ouro e o diamante com a imperturbabilidade e pachorra de um cônego velho e gastrônomo, que rumina, com apetite e método, o fruto da caridade do povo.

A consciência sentia vertigens de olhar por muito tempo para aquele grupo, espécie de autômato, movido pela cobiça e governado pela força abstrata do vício.

No meio da mesa, brilhava como um centro planetário, o *monte* de moedas de ouro, em torno do qual toda a força e atenção dos circunstantes gravitavam impacientes e desordenadas.

Era o centro de gravidade das almas daqueles miseráveis; para ele convergiam todos aqueles sentidos cariados e todos aqueles corações sujos — pátria, família, aspirações, glória, tudo, tudo se resumia no punhado de moedas.

Não se ouvia uma palavra.

Como estátuas movediças atiravam à boca escancarada da fera os seus bens, os do filho, o futuro da própria família e o da alheia.

E a fera, como uma vala de cemitério, ia sorvendo em silêncio tudo o que lhe lançavam, enquanto todos jaziam a meditar, que também a gente medita para fazer o mal.

Todavia, toda e qualquer consciência tem horror ao jogo; a ninguém incomoda tanto o tapete verde como ao próprio jogador — enquanto lança à sorte o que possui, cala aos pés a pobre consciência, que, ao lado das escarradeiras, dorme ébria e envergonhada debaixo da mesa.

O salão principal do baile oferecia um espetáculo inteiramente oposto ao que acabamos de esboçar.

Não se ouvia aqui o ressonar pesado do jogo, sentia-se a febre vertiginosa da dança; aqui era tudo delírio e loucura. A atmosfera, morna, pesada, abafadiça e de um branco opaco, enervava a cabeça e dilatava os sentidos.

A atmosfera de um baile daquela ordem, no seu apogeu, afeta singularmente a economia animal dos moços. O coração como que se derrete ao calor dos galanteios, dos perfumes, das luzes, dos vinhos, dos vapores estimulantes que exalam os corpos cansados das mulheres, e derrama-se por todo o corpo como um filtro diabólico e sensual, que percorre e excita os tecidos orgânicos, precipitando as suas competentes funções; o exercício da valsa dá ao coração formas extravagantes e caprichosas — fá-lo pular, estremecer e palpitar; e, conforme as impressões que recebe, enforma-se, dilata-se, encolhe e chega a tomar formas obscenas.

A gente mais facilmente ama nessas ocasiões, porque a atmosfera e o cansaço aceleram os fenômenos vitais. Em tais circunstâncias uma resistência é quase impossível — afinal o corpo descai e languesce voluptuosamente; percorre todos os membros uma moleza gostosa e doentia; sentimos cócegas nos cantinhos da boca e no interior das ventas; o rosto afogueia-se; desfalece a energia; o hálito queima; os dedos criam uma sensibilidade igual à da língua; o vítreo dos olhos raia-se de sangue e faz-nos ver tudo por um prisma vermelho fantástico.

O ópio não produz efeitos tão deslumbrantes.

Quanto mais a gente dança, quanto mais se agitam os membros estafados, tanto mais se envenena o ar; as flores terminam a obra roubando o pouco oxigênio que resta na atmosfera. Resulta de tudo isto um ar viciadíssimo e tão gasto e condensado que se pode comer em vez de respirá-lo.

Quanto mais tempo dura o baile e com ele a aglomeração e o exercício, tanto maior e mais veemente é a necessidade de respirar, e então sorve-se com sofreguidão o ar e o pó já muito usados por todos.

Os pulmões aspiram e expelem sempre o mesmo ar e o mesmo pó.

O ar é como um pensamento e o pulmão é como um cérebro, acontece que o mesmo ar penetra, como uma ideia geral, todos os pulmões, e esse aí ou essa ideia única corre toda a sala, entra por todos, domina quem a recebe e acaba por formar, identificando toda a sociedade — um só pulmão e uma só cabeça, isto é, uma só vontade e um só querer.

Eis aí o que era um baile em casa de Maffei. Simplesmente uma reunião de moços de ambos os sexos, metidos numa sala bem fechada, onde dançavam, pulavam, cansavam e apodreciam, como muitas maçãs em um cesto, onde é bastante haver uma podre para contaminar e corromper as outras.

Esse contato infernal era uma lógica consequência do ar viciado e da simpatia.

E tanto é assim que em certas ocasiões não queremos tomar parte num divertimento que nos parece mau, e, uma vez entrados, empenhamo-nos nele tanto como os que lá estavam: veja-se de parte um baile e este se nos afigurará uma reunião de doidos. Num combate se verifica a mesma coisa — travada a luta são todos bravos; nos cárceres são todos maus; nos hospitais são todos doentes; em um naufrágio são todos religiosos e assim por diante.

O ar sempre transmite a quem o respira o caráter do lugar em que se acha, como no leite a ama transmite à criança que amamenta, todos os seus males físicos e morais.

Para fazer um homem mau é bastante obrigá-lo a respirar com os maus.

E há quatro anos os pulmões da bela Rosalina enchiam-se com o mesmíssimo ar que uma roda má e corrupta, até às pontinhas do cabelo, sorvia e expelia por todos os poros.

IV

Mas que roda era essa tão esquisita?

Donde vinha semelhante gente, e para onde se destinava?

— Vinha do nada e caminhava para o nada, pouco mais ou menos...

— De quem ou de que se compunha?

— De restos.

— Expliquemo-nos.

Em todas as grandes capitais há desse gênero de boêmios aristocráticos, que Dumas Filho, referindo-se aos de Paris, intitula *Demi-Monde*, espécie de ilha flutuante, que boia à flor da sociedade universal.

Em Nápoles essa sociedade de ouropel florescia em 1846, com escandalosa aceitação, e, sustentando-se por necessidade, ia caminhando, podemos dizer, com regularidade, substituindo a nobreza pelo dinheiro e o dinheiro pela nobreza, e, na falta de algum destes agentes, socorrendo-se à formosura e à mocidade, na ausência dos quais ainda lançava mão, como último recurso, do talento de *savoir-vivre* e da arte de se meter em toda parte e de saber tirar partido de tudo.

Essa singularíssima e perigosa prole principiou do seguinte modo: — Um fidalgo arruinado, depois de atirar pela janela do desperdício o último vintém e, não podendo abdicar para sempre dos seus inveterados hábitos de opulência, procurou um burguês rico com o fim de, muito em segredo, nele se arrimar; o burguês, por outro lado, também precisava do auxílio da nobreza, para ter importância e subir; reunidos satisfaziam mutuamente o útil e o agradável. Fundiram-se.

Dessa combinação resultou — luz e movimento. O paralítico prestou olhos ao cego, e o cego prestou pernas ao paralítico. E assim puderam ver e andar.

Ora, tudo aquilo que vê e anda, pode ir para diante e é suscetível de progresso.

Foi o que sucedeu — prosseguiram.

Pelo caminho foram atraindo com a luz da sua ideia os companheiros que andavam desnorteados e erradios à procura de um rumo.

A luz transformou-se em farol — os náufragos sociais engrossaram o grupo.

As mulheres, que se desacreditavam na alta sociedade, vinham, repelidas pelos competentes maridos e pelas competentes famílias, refugiar-se nessa roda; os filhinhos, ou melhor, as causas inocentes desta debandada, chegavam juntamente com as mães repelidas e com elas se educavam no mesmo meio.

Estas malfadadas crianças cresciam e, quando, por fraqueza ou por falta de pundonor, não fugiam envergonhadas, formavam a parte moça da *Sociedade Flutuante*. As vagas dos maridos eram razoavelmente preenchidas pelos amantes e jamais os filhos conheciam os verdadeiros pais.

Era mais uma roda de enjeitados do que uma roda social.

Compunha-se especialmente de destroços e de vergonhas — ali o que não era um resto era um embrião — ou tinha já deixado de ser ou ainda não era; ninguém tinha um lugar definitivo, porque logo que chegasse a alcançá-lo desertava incontinenti.

Podia também aquilo ser considerado como um curso preparatório; habilitavam-se ali para poder galgar um lugar fora, e só na hipótese de nada encontrar exteriormente, recorriam à *Sociedade Flutuante*, como remédio extremo ou como último porto de salvação.

E em verdade é que, até certo ponto, achavam os fugitivos, na obscuridade dessa roda, abrigo seguro para as suas vergonhas e pesares. Esses eram os desesperançados.

Conclui-se que aquilo podia ser ou um túmulo, de qualquer modo seriam trevas, à semelhança do homem, cujos extremos são sempre sombras; podia ser um princípio ou um fim, porém nunca um meio, isto é, uma posição social.

Em público, todos odiavam essa sociedade; em particular muitos a procuravam e, ninguém, quer pública ou particularmente, queria por gosto ali ficar para sempre. Quem ali permanecia era por não obter absolutamente outro recurso.

Desse feitio pensava Maffei, e tinha para si que o casamento de Rosalina com um fidalgo arruinado abriria na nobreza uma brecha assaz larga para ele evadir-se também. — Um fidalgo quando empobrece, continuava o burguês a pensar, em geral cai e com o choque abre na sua classe uma fenda por onde se vai introduzindo a burguesia.

Frágil e desgraçada coisa é a nobreza que precisa de dinheiro para não rachar.

Era com essa fenda que contava o antigo pescador. E contava muito bem, porque os homens, ao contrário dos gases, quanto mais pesados mais sobem.

A *Sociedade Flutuante* avultava de dia para dia; ultimamente tornava-se até bastante conhecida e um tanto censurada, e, se bem que afetasse ótima aparência, a polícia tinha-a de olho.

Os seus mais perigosos detratores eram justamente os seus próprios adeptos — diziam mal uns dos outros e, a falta que este, com mil cuidados se esforçava por encobrir, aquele lha devassava pela sorrelfa.

Iam contudo vivendo e aliás regularmente.

O maior desejo das raparigas que lá caíam era casar fora dessa roda ou com alguém que ali estivesse por mera curiosidade, como simples amador. Se o logravam, saíam sem sequer voltar para trás a cabeça desapareciam por uma vez, e faziam bem.

Quem mais gostava da *Sociedade Flutuante* eram os rapazes solteiros. — Os amores, como diz Dumas, são aí mais fáceis do que na alta sociedade e mais baratos do que na baixa.

Isto compreende-se com os amadores, com os que a frequentavam por espírito de — *curiosidade*, espécie de sócios honorários, porque com os outros, isto é, para os sócios legítimos e efetivos, não era essa sociedade mais do que um recurso sofrível, em falta de outro melhor.

Estes eram os velhos ou parvos.

Se era um nobre que vinha arruinado e gasto da alta sociedade, chegava cansado e só queria que lhe dessem uma cadeira para descansar ou uma cama para morrer; e se o sujeito era nascido aí e se tivesse deixado ficar, provaria com isso que era simplesmente parvo e então só desejava que o deixassem viver na lama em que tinha nascido.

Finalmente, velho ou moço, nobre ou parvo, o certo é que para fazer parte da *Sociedade Flutuante* eram necessárias duas coisas principalmente: a primeira — não ter juízo; a segunda — não ter brios.

Agora que fica conhecida a roda de Maffei, lembro que há quatro anos vivia nela Rosalina.

V

O baile continuava crepitante a devorar saúde, dinheiro, e reputação, como um incêndio em que já ninguém se entende e cada um só cuida de si; com a diferença, porém, que no sinistro do fogo procura-se um meio de salvar e no do baile procurava-se um meio de perder.

O álcool, combustível perigoso, aumentava progressivamente a densidade do incêndio; as garrafas vazias tinham já maioria sobre as cheias — sintoma infalível de desordem.

Assustador era o aspecto do salão de dança — sobreerguia-se em espirais alcoolizadas e insalubres um vozear confuso e bestial, que se podia chamar o fumo da incineração das consciências.

Entretanto, na outra sala, o jogo, como uma pústula, ia apodrecendo surdamente o que alcançava.

A razão não tinha para onde fugir — de um lado o fogo e do outro a putrefação.

Rosalina, bela, mas já dessa beleza satânica das bacanais — pendente a cabeça, requebrado o olhar e o colo nu, valsava no salão principal com um rapaz de bigodes pretos, reclinada volutuosamente sobre ele, entregues ambos ao desamparo, feliz e inebriante do prazer e da fadiga. Ele, arquejando, segredava-lhe umas coisas grosseiras e apaixonadas, e ela, ela sorria com indulgente gosto ao som venenoso das palavras que saíam truncadas e ardentes dos lábios do mancebo.

Depois de um trêmulo diálogo, imperceptível para os outros, em que deliberavam mais os olhos que as palavras, ela abaixou com prometedora ternura as pestanas, como respondendo à fixidez interrogadora dos olhos abrasados do par, e ele, com reconhecido sorriso, recolheu esse abaixar de pálpebras, que queria dizer — sim.

No mesmo instante separaram-se, e Rosalina, lançando sobre o moço um olhar significativo, desapareceu do salão, sem ser percebida.

Atravessou sozinha e ligeira duas salas, passou pela varanda, desceu a escada que conduzia ao primeiro andar, e, procurando abafar o som dos passos, apalpando cautelosamente as sombras dos corredores, chegou a uma porta, abriu-a e entrou.

Era a porta dos seus aposentos particulares, silencioso e perfumado ninho, onde o ruído do incêndio de cima chegava trêmulo e desfeito, como o murmúrio de uma tempestade ao longe.

Rosalina ao entrar correu de todo o farto cortinado de damasco e atirou-se extenuada sobre um divã. Sentia-se preguiçosamente fraca e terna, tinha uns desejos vagos e incompletos, uma moleza volutuosa e agradável que a obrigava a fechar involuntariamente as pálpebras.

Pequena lamparina de ágata espalhava nos aposentos meia claridade macia, doce, morna e sonolenta, como o olhar oriental de um elefante.

Envolvida nesse nada cor-de-rosa, a moça meditava.

— E em quê!...

Ó caprichos da imaginação! — Em Miguel. Desde que o esquecera era a primeira vez que o vulto sombrio do seu amado primitivo lhe acudia à memória; dantes acudia-lhe muitas vezes, porém ao coração. Sem saber por quê, Rosalina com tal lembrança começou a sentir o princípio de uma pontinha de remorso — tímido e flexível como o espinho ainda verde, mas já agudo. Estava em tempo de quebrar facilmente, porém já doía.

Quando de muda para Nápoles, Rosalina, como única resposta que obteve do pai a respeito de Miguel, ouviu estas duas sílabas: — Morreu.

Naquele momento, esta palavra caiu-lhe inteiriça sobre o coração como uma pedra sobre um túmulo, e, todavia, a ideia de viver em Nápoles com opulência lhe sopeara as lágrimas que porventura queriam rebentar; mas pouco tempo depois, as festas, o luxo, o amor dos homens, a inveja das mulheres e o ciúme e desespero dos desprezados, matizaram-lhe, como uma primavera cheia de luz e vida, por tal forma o coração, que as flores acabaram por esconder o grosseiro túmulo que ali jazia. E desde então Miguel fora totalmente esquecido.

Agora, mistérios do coração! Por entre as flores e por entre os risos lobrigava ela o fúnebre alvejar da pedra sepulcral; e o artista alevantava-se medonho da sepultura, como um espetro sombrio e ameaçador, a fixá-la das sombras da eternidade.

Esta visão preocupou ainda mais a bela cismadora que, suspirando, ergueu-se, passou as costas das mãos pelos olhos, e depois acendeu um lustre, como querendo afugentar com a luz o fantasma.

De repente alguma coisa lhe prendeu a atenção. — Era um som longínquo e profundo, que vinha do jardim pelo lado oposto às salas do baile; Rosalina reclinou vagarosamente a cabeça para o lado donde lhe parecia vir aquele som, gemido ou voz, suspiro ou música, e, caindo de novo no divã, quedou-se embevecida a escutá-lo.

O som lembrava ora o mugido de uma criancinha, ora o ciciar da brisa; voz da natureza ou suspirar de homem, chegava-lhe ao coração essa música como coisa estranha, impressiva e sobrenatural.

Havia nesse murmurar um não-sei-quê de humano e um não-sei-quê de celeste; mal se diria se eram notas gemebundas e plangentes que vinham do céu ou se uma harmonia de lágrimas, caindo gota a gota numa taça de cristal; enfim, participava tanto do céu como da terra — poder-se-ia dizer que era o roçar das asas dos anjos pelo coração do homem.

Era uma rabeca que falava a linguagem da inspiração — idioma divino só compreendido pelas almas bem formadas.

Rosalina bem conhecia o metal daquela voz; conhecia a rabeca, o arco e conhecia a música, porém a sua alma embalde se esforçava por compreendê-la ainda; produzia-lhe já o efeito de uma língua estranha digamos de uma língua morta.

E, contudo, a rabeca soluçava a última composição que Miguel lhe dedicara na casinha branca.

Apossou-se então de Rosalina um entorpecimento pesado e sombrio, um quase sonambulismo; e, nesse estado, que se pode chamar o crepúsculo entre a vida real e o sonho, sentia e ouvia, alucinada, aqueles gemidos indecisos e plangentes, que parecia saírem das profundezas da eternidade para vir condená-la no meio da fortuna e do vício.

De quem poderia ser aquele gemer? De homem certamente que não; só uma alma penada saberia gemer assim.

Então assistia-lhe vontade de chorar.

— Chorar? Por quê?

A consciência negava-lhe a resposta, como os olhos negavam-lhe as lágrimas; e o pranto não passava do coração.

Infeliz daquele a quem não é dado chorar; só o pranto afoga a dor que a vontade não vence destruir.

Lutando com tais opressões, Rosalina ergueu-se no intuito de respirar mais livremente o ar da noite; o terror, porém, não lho permitiu e fê-la estacar defronte da janela, afigurando-se-lhe que, se a abrisse, iria despertar o espírito errante, que porventura a chamava do jardim. E tomada destes sobressaltos foi se quedando triste e cismadora a escutar a música funérea.

Nisto dilatou-se a cortina de damasco, onde por acaso tinha Rosalina o olhar ferrado, e o moço dos bigodes pretos entrou risonho e sem-cerimônia no aposento.

— Ah! — Fez Rosalina voltando a si, e sorriu.

O cavalheiro debruçou-se carinhosamente e com elegante desembaraço sobre ela e, travando-a da cintura, beijou-lhe a fronte.

Desapareceu a luz e a porta da alcova fechou-se protetoramente sobre eles.

Entanto, no jardim, o violino continuava a soluçar com o desespero de um órfão pequenino.

VI

Dois dias decorreram depois da última noite do baile; e Rosalina, como vamos ver, chegou a descobrir a origem da música esquisita e plangente, que nessa noite embalara poeticamente os seus prosaicos amores com o moço de bigodes pretos.

Antes, porém, de prosseguir, seja-nos permitido dar de passagem uma ideia ligeira do perfumoso ninho de Rosalina.

Constavam os seus aposentos particulares simplesmente de uma sala vermelha e de uma alcova cor de lírio, ligadas entre si por elegante portinha, em cujos ornatos entalhados dos olivares, florões polidos de encarnado carmesim sobressaíam, como espumas de sangue, da brancura natural da madeira. De uma única janela existente na sala debruçava-se sobre o jardim pitoresca balaustrada de mármore rajado, feita e disposta ao antigo gosto veneziano. A sala era oitavada, guarnecendo-lhe as faces do octógono quadros do mesmo feitio, que molduravam em metal branco brunido formosas gravuras sobre aço; as cortinas da mesma cor das paredes, prendiam-se graciosas em cornijas também de metal branco, uniformizadas pelo brilho com as reluzentes peanhas dos ângulos das paredes e com os trabalhados tamboretes igualmente de metal. Os pés de quem tivesse a fortuna de entrar neste paraíso elegante, desapareciam silenciosamente no tapete, cuja felpa abundante e sedosa dava ao andar de quem o pisasse a suavidade volutuosa dos passos macios do gato — parecia andar a gente descalça sobre algodão em rama. No centro desta luxuosa salinha, uma mesa redonda de pé-de-galo, coberta por magnífica casimira da China, sustentava um candeeiro de alabastro, com listrões de ouro lavrado; num dos ângulos das paredes, mimosa escrivaninha mostrava o necessário para ler e escrever num outro, acomodava-se belo esquentador de pedra negra, guarnecido por um relógio de bronze e dois soberbos vasos de porcelana do Japão. O mais seriam cadeiras, divãs estofados, cristais da Boêmia e uma infinidade de nadinhas do luxo, que dão a qualquer sala um aspecto embonecado e fútil.

A alcova cor de uno apenas tinha, pouco mais ou menos, o lugar suficiente para o toucador e para a cama, da qual à direita pelo lado inferior equilibrava-se suspenso um enorme espelho de Veneza, onde se refletia todo o quarto e principalmente o leito; e do lado esquerdo, à cabeceira, encostava-se um bufete, onde se via uma garrafa de cristal de rocha cheia de falerno, rodeada de delicadíssimos cálices e doces cristalizados e apetitosos; aos pés da cama, vasta tapeçaria representava com muito engenho o grupo sublime das três graças de Canova.

O relógio marcava meia-noite. Rosalina fitava-o, reclinada pensativa em um divã, acompanhando maquinalmente o tique-taque da pêndula com a pontinha do pé, dobrando e desdobrando um papel cor-de-rosa, que tinha entre os dedos.

Ia triste e silenciosa a noite — só se ouvia distintamente a pulsação monótona dos segundos. Impressiona sempre ouvir o pulsar de um relógio — afigura-se-nos sentir palpitar o eterno coração do tempo.

Rosalina, depois de longo e profundo cismar, brandiu para trás os tenebrosos cabelos, e levantou-se, como se tivesse chegado intimamente a solução de qualquer dúvida. E fazendo com a cabeça esse movimento sacudido que tão bem exprime a indiferença, disse, despregando de leve os lábios com um quase imperceptível estalar de língua: — Seja!

Depois, muito tranquila de si, levantou-se, espreguiçando-se, despreocupadíssima, e foi amarrar no marmóreo balcão da varanda, branquejada frouxamente pelo luar, o seu claro lencinho de rendas francesas, como quem arvora um sinal.

VII

Efetivamente o lenço de rendas francesas, que Rosalina amarrou no peitoril de sua janela, era um sinal e — coisa mais de pasmar — era um sinal dirigido a Miguel.

O artista não morrera; e para clareza desta narrativa seja--nos lícito voltar atrás.

No momento fatal em que Maffei precipitou dos rochedos de Lípari o inflexível amante da filha, perdeu este os sentidos, dando de encontro à pedra aprumada e foi rolando, rolando, até atufar-se de todo nas espumas rendilhadas do mar. Com tanta fortuna se houve porém neste cair, que dele apenas lhe sobreveio um ferimento na cabeça.

O mar estava crescido. Foi a salvação do moço, porque ao dar na água voltou a si com o choque, e, conhecendo quão perigosos são os rochedos de Lípari e quão selváticas as ondas contra eles, tratou de nadar ao largo em vez de demandá-los; tempo este em que a tempestade queimava nos altos seus últimos cartuchos.

Afinal serenou de todo o tempo. Miguel, apesar de ajudado pela correnteza, costeava dificultosamente a ilha na direção da praia, semelhando uma visão que fugia das trevas úmidas da morte, seguida de um rastilho de sangue.

Cinco horas depois era rejeitado na praia pelo mar.

Iam pouco e pouco se rarefazendo as nuvens e já em alguns pontos do céu se percebia uma modesta claridade, precursora do bom tempo. A lua, voltando do susto, foi aos poucos saindo do esconderijo, medrosa e tímida de seu natural, porquanto quando há qualquer desarmonia no céu é ela quem primeiro se esconde.

Por este tempo já permanecia de bruços o náufrago na praia; a areia bebera-lhe indiferente o sangue da ferida, que afinal estancara. Nesta postura ficou ele, falecido sem ânimo e forças, uma hora, como se estivesse a dar um demorado beijo na face da mãe salvadora, a terra — pelo seu bom regresso.

Ao voltar de todo a si, volveu instintivamente o olhar pisado para o céu, que, nesse momento desassombrado e azul, refletia nas águas os olhares prateados de sua argêntea e bela pupila.

Quando se deixa ou volta à vida, o que primeiro procuram os olhos é o céu. — Há consolação e amparo na alma azul do infinito; o azul é a cor da salvação, como o negro é a do aniquilamento.

E por que confiamos tanto no azul do céu, sem talvez o compreender ao menos?

É que ele é a única coisa verdadeiramente grande e imensamente bondosa. — O oceano é gigantesco, porém abisma; o nordeste imponente, porém destrói; a terra é mãe, porém devora; o sol é rei, porém abrasa; só o céu é infinitamente bom. As estrelas brilham como uma aluvião de libras esterlinas e no entanto ele é humilde e modesto, sabe unicamente ser infinito, azul e consolador.

Jamais se queixou ninguém do mal que lhe fizesse o azul do céu!

Por isso meditava Miguel, estendido na areia, a fitar o espaço em muda e reconhecida contemplação; finalmente tentou pôr-se de pé, levantou-se cambaleando e amarrou a ferida da cabeça com um lenço ensopado, que tirara da algibeira. Depois sacudiu tranquilamente a areia molhada do fato e dos cabelos e pôs-se a andar com dificuldade.

Encaminhava-se lenta e investigadoramente para o mar, como a procura de alguma coisa, até reconhecer o mourão em que, se lhe não enganava a memória enfraquecida pela pancada e perda de sangue, tinha amarrado o barco.

De fato; mas deste só restavam dependurados da estaca, como relíquias de guerra, a corda e um fragmento da proa.

E nada mais havia do barquinho — o nordeste despedaçara-o de encontro à praia, da mesma feição que a tempestade dos nossos pensamentos despedaça contra as paredes do cérebro uma ideia fixa, que se agarra à imaginação; o remorso também pode atirar o homem preso contra as arestas do cárcere; a dor oprime o coração contra o peito e quebra-o; o terror, enfim, mata o feto atirando-o contra as paredes do ventre materno. — É sempre a mesma lei eterna da luta entre a covardia da tempestade e a fragilidade do peso.

Miguel, acabando por se identificar com a situação e aceitando-a horrível e estéril tal qual se oferecia, começou a passear pela praia, com essa calma inexplicável do homem cônscio da sua desgraça, que procura recrear-se amargamente com os destroços da passada ventura; ora topava um pedaço de madeira enterrado na areia, ora dava com alguns destroços do leme ou do casco, e, à proporção que os ia descobrindo, atirava-os à boca aberta do mar, como um domador que, depois de dar de comer à fera, ajunta-lhe ainda as migalhas caídas por fora da jaula.

Continuando a exploração, descobriu um fragmento de madeira amarela, que lhe prendeu mais o respeito — era o braço da sua rabeca.

O artista ficou a olhá-lo amargamente com a mágoa de uma mãe que contemplasse o cadáver do filhinho; depois, num assomo de ternura frenética, levou-o repetidas vezes aos lábios, beijando-o apaixonadamente.

O incêndio levantado por Maffei veio tirá-lo desse êxtase.

Clarão vermelho e sinistro iluminava de um golpe toda a ladeira.

Miguel voltou-se para o lado do fogo, meteu cuidadosamente o pedaço da sua rabeca entre a blusa e a camisa, limpou com a manga uma lágrima que lhe pendia das pestanas e encarou firme as línguas de fogo, que singravam do teto carbonizado da casa de Maffei.

Mas o fogo é na casinha branca!, pensou rapidamente o moço, e tentou correr para o lugar do sinistro.

E Maffei?!, bradou-lhe a consciência. Esta observação interior fê-lo parar e cruzar involuntariamente os braços.

E Rosalina?! interrogou por sua vez o coração; e, antes que a razão interviesse para o dissuadir, deitou a correr, o melhor que pôde pela ladeira.

Então é que o incêndio principiava a assumir a categoria de uma monstruosidade. Nas praias batidas, como aquela, por ventos contrários, um incêndio é sempre coisa fácil e decidida no mesmo instante.

A ideia de Rosalina em perigo restituiu ao amante naufragado as forças perdidas até ali, de sorte que em menos de um quarto de hora, correndo como um possesso, tinha ele vencido a ladeira. Com os fatos molhados de suor, de chuva, de mar e de sangue, atravessou rapidamente a porta do fundo da casa, entrou pelos quartos incendiados, pisou brasas, percorreu como uma sombra todos os cantos acesos, e suando, vermelho, doido, sublime, cheio de lama, gritando, gesticulando, sem chapéu, sem gravata, com as pestanas tostadas, a carne inchada com o calor, os cabelos queimados e cobertos de cinza, o corpo coberto de faíscas, ora desaparecia entre as chamas, ora tropeçava nas vigas abrasadas, caía, levantava-se e saltava, gritando como uma fúria:

— Rosalina! Rosalina!

E o crepitar do fogo parecia rir-se dos seus apelos.

— Rosalina! Não ouves?! Ó meu Deus! Mãe Ângela!

Nada.

O isolamento aterrava-o mais do que a imponência do incêndio e, sem dar fé que lhe chiavam as carnes assadas e que lhe escorria gordura derretida pelos membros, continuava a gritar:

— Rosalina! Rosalina! Estou aqui! Onde estão vocês? Respondam!

— Estariam todos mortos ou em tão pouco tempo teriam partido?

— Rosalina! Minha Rosalina?!

E disforme, desesperado, febricitante, horrível, atravessou soluçando a sala; topou um pente de tartaruga, abaixou-se, apanhou-o, beijou-o e guardou-o no seio em menos de um segundo e a correr saiu pela porta do fundo, como quem acabasse de atravessar o inferno, exclamando furioso:

— Ninguém! Partiram, bradou levantando o braço para o céu ameaçadoramente. No momento, porém, em que apostrofava, sentiu firmarem-se-lhe no estômago duas patas de cão.

— Castor! — gritou o moço caindo de joelhos.

— Oh! — disse voltando para o céu os olhos arrependidos. — Ainda me resta um amigo!

E abraçou-o soluçando.

VIII

— A caminho, meu amigo, disse Miguel a Castor. E puseram-se a andar com vontade pela estrada que ia dar ao povoado.

Castor ia na frente, sacudindo satisfeito a cauda, pelo compasso do andar cadenciado e ligeiro do cão quando leva destino; o artista atrás, triste, vergado, coberto de lama, sangrento, tiritando, mais se arrastava do que andava. Apesar do frio da madrugada que para o nascente alvorecia o horizonte, Miguel tinha a tomar-lhe a cabeça febre abrasadora; seguia com o peso aterrador de quem acabava de assistir nesse instante à transformação de sua ventura em um montão de ruínas.

Que poderia esperar mais, além das neves do isolamento? Rosalina desaparecera, isto é, fecharam-se todas as portas, janelas e postigos de sua alma por onde podia entrar a luz. E que seria das flores dessa pobre estufa, dessas flores tão cuidadosamente tratadas por ele entre os abrolhos de uma vida de necessidades e decepções, sem um único raio do sol que até ali as sustentara? Que seria delas com a ausência absoluta de Rosalina?

O amor é para a alegria, a esperança, a honra e a glória o que a luz é para as flores; em outras palavras o amor é o matiz, o perfume, o frescor e a vida de nossos sentimentos.

As flores não podem vingar nas trevas.

Assim pensava Miguel quando chegou com o companheiro a casa.

O sol tinha se erguido de todo no levante; fazia um tempo magnífico.

O moço empurrou a porta e Castor precipitou-se no interior do quarto, farejando os pobres trastes e o chão, em seguida, mordendo satisfeito a cauda e as patas, pôs-se a ladrar para a rua.

Desde esse dia viveram os dois amigos em íntima e completa harmonia — nunca se separavam, comiam juntos e dormiam perto um do outro.

Três meses depois do incêndio Miguel teve notícia de uma família que precisava de um professor de música para quatro crianças; apresentou-se e foi aceito.

De tal momento correu-lhe a vida mais fácil. Em pouco tempo, Miguel, cujos modos singelos e honestos atraíram incontinenti sobre ele a cega confiança e simpatia dos seus protetores passou de mestre de música a servir de preceptor, acompanhava por gosto os pequenos nos seus passeios e afinal já lhes tinha amizade.

O bom rapaz desvelava-se em dar aos discípulos mais instrução do que lhe competia e até, digamos, mais do que podia — estudava durante a noite para instruí-los pela manhã, com tão feliz êxito que às vezes gravava-lhe inalteravelmente na memória ainda fresca preceitos e fórmulas de literatura e belas-artes, dos quais se esquecia o próprio mestre, que os não decorava. E por este sistema instruía com cabedais alheios; era, por bem dizer, o instrumento dos bons livros, mas o fato é que os pequenos se desenvolviam e tanto lhe bastava.

Os rapazes adoravam-no.

Não há como as crianças para tomar amizade à gente, e com esta cresce em geral a dos pais; os dos discípulos de Miguel estavam encantados com a boa aquisição que haviam feito. Um dia chamaram em particular o jovem preceptor, e, depois de lhe manifestarem o quanto estavam penhorados pelos seus bons esforços e pelo seu bom caráter, o quanto desejavam que Miguel continuasse em companhia deles, declararam que haviam deliberado aumentar-lhe o ordenado e fazê-lo morar em sua companhia e sob as suas vistas e cuidados — que Miguel era só e adoentado; que era preciso ter mais cuidado com a saúde e terminaram franqueando paternalmente ao professor um quarto cômodo e decente.

No dia imediato Miguel e Castor estabeleciam-se em casa da família L...

Tinha por conseguinte o artista todos os elementos de uma felicidade relativa — teto, cuidados e estima, agora possuía por bem dizer uma família; entanto, tristeza contínua e carregada pesava-lhe deveras sobre o coração como a garra negra de um abutre. Embalde esforçava-se por esquecer de todo o pretérito e viver só do presente; embalde tentava plantar novas flores no terreno ressequido de seus afetos, que logo não rebentasse aí, sangrentas e truncadas, as raízes de sua antiga fortuna, porventura mais persistente e volumosa depois que se convertera em infortúnio.

E neste definhar amargurado via ele cair um após outro, no passado, os seus dias pálidos e saudosos, sem risos nem esperanças.

De todos procurava informar-se a respeito de Rosalina, e ninguém o esclarecia; da ilha haviam todos perdido de vista o pescador Maffei. Entre o homem rude e o homem rico abrira o ouro largo espaço. De um lado não se conheciam os que estavam do outro.

IX

E no excogitar doloroso da saudade decorreram dois anos de desesperança, sem que fosse dado ao artista ter notícia da sua amada.

Já não parecia o mesmo — tomara-se trabalhador e grave. A vigília e o estudo avivaram-lhe na fisionomia os clarões da inteligência, com a mesma intensidade com que as sombras de constante tristeza lhe anuviaram no olhar a mocidade e o riso.

Bela e pensadora cabeça, quem te burilou tão sublime: a arte divina do homem ou a mão humana de Deus?

Muitas vezes o viam passar sombrio e automático, seguido dos seus discípulos e do cão, em tais momentos pendia-lhe para a terra a cabeça, como quem procura um canto onde descanse o último sono. E as pobres criancinhas, coitadas! Olhavam para o mestre com os pequeninos corações estremecidos; as louras sensitivas choravam porque o viam chorar.

Num destes passeios chegaram às ruínas da casinha branca; massa informe de pedras e barro denunciavam apenas o lugar onde crescera e brincara Rosalina. Era tudo enegrecido pelo fogo e silencioso pelo abandono; somente além, para as bandas do mar, por entre o sussurrar das oliveiras, um pescador velho se lembrara de construir a sua choupana.

Derramava-se a hora do crepúsculo e da tristeza; os últimos clarões do dia abraçavam as primeiras sombras da noite — carícia contraditória da luz e da sombra.

Nada enternece tanto como, depois de algum tempo, voltar ao berço de nossa primeira felicidade; também não há decepção comparável à que experimentamos ao topar arrasado esse ninho de recordações e saudades. — Procurar um abrigo e tropeçar em ruínas, procurar um berço e despenhar-se na cova! Todo aquele nada respirava aniquilamento e tristeza; contudo, parecia haver uma voz mágica e sobrenatural que, semelhante aos fogos-fátuos dos cemitérios, se sobreerguia trêmula e duvidosa das ruínas.

Miguel, hirto e arrebatado pela influência do fluido que exalavam os restos carbonizados da casinha branca, pascia neles o olhar ansioso, procurando compreender a voz misteriosa das ruínas, com a atenção de um setuagenário que procurasse soletrar na confusa inscrição de uma lápida, gasta pelo tempo, o nome do seu primeiro afeto.

E o seu olhar investigador, e o seu gosto cheio de interesse e ternura, e o som trêmulo das suas palavras quase inarticuladas, parecia dizerem:

— Que é feito de ti, minha ventura?... Coração que por mim palpitaste teu primeiro amor; lábios que me falastes com a primeira mocidade; olhos que me seguistes com o primeiro cuidado! Aonde fugistes vós?!... — Sorrir! Como te deixaste esmagar pelas ruínas? Lágrimas! Como as beberam as línguas do incêndio? — Crença, foge! Coração, cala-te!... E o teu? O teu coração, minha Rosalina? Estará em ruínas como o teu berço, ou brilhará porventura mais feliz e mais virtuoso, ao clarão tranquilo e honesto do lar e da fortuna?! Se assim não for, se te não prendeste a uma sorte invencível, volve! Que de muito te aguardo impaciente; se não te esqueceu a nossa passada ventura, pensa em mim, que to retribuirei com amor de escravo; e se eu morrer, esquecido e abandonado de todos, sem que aos meus olhos seja dado refletir a ternura dos teus, no momento extremo — chora meu amor, chora que Deus recolhe as lágrimas que os anjos cá da terra derramam nas sepulturas.

E assim cismava Miguel — imóvel, chumbado às ruínas da casinha branca, pasmando as quatro criancinhas, que sobre ele passeavam admiradas os seus olhares de auroras.

O artista cobriu o rosto com as palmas das mãos e rompeu a chorar soluçadamente.

X

Os pequenos continuavam aterrados sem se animarem a proferir palavra, até que o mais velho deles, Beppo, aproximando-se de Miguel, abraçou-o pela cintura, dizendo em voz baixa e tímida:

— Por que está chorando, meu mestre?

Para as crianças, corações lógicos, onde não medrou ainda desconfiança nem experiência — chorar é sinônimo de — sofrer. O menino imediato a Beppo imitou o irmão; este foi imitado pelo outro menor e finalmente pelo pequenino, que se contentou em dizer, terna e familiarmente:

— Não chores!...

Puxado pelo fio de ouro destas palavras, Miguel voltou a si, assentou-se comovido num pedaço de parede, cobrindo de beijos a cabecinha loura de Jeovanito.

A gente, não sabemos por quê, depois de muito chorar e lastimar-se, sente apetite de beijar e abraçar alguém; queremos crer que é na adversidade que se fortalecem mais os corações, e se corroboram os afetos — ligam-se tão bem as lágrimas e o amor e formam tão imperecível betume, que vencem resistir às borrascas destruidoras da vida e aos gelos mortíferos da ausência e da idade. De tal sorte, que Miguel daquele momento sentiu-se amar ainda mais os discípulos; e, como o amor é sempre uma luz, a claridade chegou-lhe ao gesto volatilizada num sorriso de alegria. As quatro crianças entravam-lhe com alvoroço pelo coração, como um bando de passarinhos alegres num templo abandonado e sombrio.

— Meu mestre! — disse Beppo, passando o braço pelo ombro do artista — por que razão você desde que chegou a este montão de pedras está tão triste e chorando?

Francino, o imediato àquele, atalhou, sem dar a Miguel tempo de responder:

— Ora essa! É porque aqui morreu alguém!

À palavra — morreu — Jeovanito voltou-se rapidamente e disse, arregalando muito os olhos, belos, como são sempre os olhos de uma criança:

— Morreu? De que foi que ele morreu?...

— Não sei... disse muito naturalmente Angelino, metendo as mãozinhas gordas nas algibeiras dos calções, com certo ar de autoridade.

Nisto, Jeovanito, que se tinha afastado um pouco dos irmãos, voltou-se aterrado, e, apontando para o sul com o seu dedinho cor-de-rosa, exclamava, contente por chamar a atenção de todos:

— Olha! Olha! Um velho! — E batia palmas alegremente assustado.

Efetivamente, um vulto alto e curvado, que subia a encosta, debuxava-se de negro na derradeira claridade do horizonte.

Aquela aparição produziu um mau efeito no ânimo dos pequenos. O crepúsculo dava-lhe o jeito fantástico de uma sombra, que saía aos poucos do mar e cujos contornos se iam desvanecendo no azul amortecido do céu.

Silenciosamente caminhava o vulto para eles e, à proporção que o fazia, os meninos conchegavam-se mais de Miguel.

— É o misterioso habitante da choupana, calculou o professor, e não se enganara.

Este homem, digamo-lo de passagem, era um antigo pescador, conhecido em Lípari pelo cognome de — Sombra da Noite. Tinham-no por milagreiro e na ilha atribuíam-lhe toda a casta de feitiçarias e malefícios, que sói imaginar a ignorância do povo. Em bom tempo fora companheiro de trabalho e amigo de Maffei, a quem, por amizade e talvez mais acertadamente por interesse, arranjara os meios de transportar-se em segredo para Nápoles, na mesma noite do incêndio da casinha branca. Esta boa ação rendeu-lhe em recompensa o direito de ocupar enquanto vivesse o terreno de Maffei em Lípari e tirar dele, como das oliveiras, o partido que bem lhe aprouvesse.

Rosalina, se bem que por esse tempo tomasse Miguel por morto, levava o coração ainda morno do amor de seu companheiro de infância; como uma parede que durante o dia recebesse sol forte e abrasador, e à noite, apesar da ausência daquele, conserva uma certa dose de calor, que pouco e pouco vai morrendo, assim se esqueceu ela de que podia arriscar o pai e para logo encarregou Sombra da Noite de se instruir sobre o resultado de um cadáver que necessariamente havia de ter aparecido na costa pelo dia seguinte à sua viagem.

Sombra da Noite não se deslembrou da incumbência, porém o cadáver não apareceu. No fim de um ano de pesquisas foi a Nápoles e tagarelou um pouco com a mãe Ângela; de volta à ilha o pescador, ligando o sentido das palavras desta com o da recomendação de Rosalina, concluiu por descobrir que se tratava do cadáver de Miguel, a quem conhecia vagamente.

— Disto me pode vir algum resultado vantajoso — dizia ele consigo e procurava um meio de falar a Miguel; a ocasião porém não se oferecia. Vendo-o agora, Sombra da Noite sentiu um estremecimento e tratou de aproveitar o lance. — Nada de precipitações, com os diabos! E parece que bispo enfim o meu cadáver.

Pensando assim, Sombra da Noite aproximava-se silenciosamente do grupo, que o observava também em silêncio. Chegou às ruínas, trepou-se com agilidade de moço pelos barrancos e, equilibrando-se, alcançou finalmente a extremidade oposta, onde estava Miguel, a fitá-lo com suma curiosidade.

Sombra da Noite abeirou-se dele, cortejou-o, descobrindo-se humildemente.

Era o tipo perfeito do *lazzarone* — macilento e esfarrapado, sujo e feio, falando um dialeto extravagante; grande chapéu de abas largas sobre a nuca e cachimbo queimado no canto da boca.

Os pequenos estavam horrorizados.

— Boa noite, disse Miguel.

— Deus Nosso Senhor lhes dê a mesma, meu senhor e meus ricos meninos — respondeu Sombra da Noite, mastigando compassadamente estas palavras e estendendo a mão para acariciar a menor das crianças. Jeovanito fugiu com a cabeça, olhando de esguelha e procurou refugiar-se nas pernas do mestre.

— Então? — disse este. — Fala, Jeovanito! Não vês que te fazem festa?...

— Boa noite, meu velho — disse Jeovanito, mais tranquilo.

— Este é seu filhinho? — perguntou o pescador, passando a mão grosseira pela cabeça loura do pequenito.

— Não, senhor. São todos meus discípulos.

— Ah! Estão de passeio?

— É verdade — disse Miguel, e levantou-se, segurando as mãos das duas crianças menores. — Íamos já, quando o senhor chegou.

— É pena, com os diabos! — disse Sombra da Noite, — porque eu desejava falar-lhe sobre alguém que morou neste lugar.

Miguel sentiu-se fulminado — era a primeira vez, desde que se separara de Rosalina, que alguém lhe falava nela, e voltando rapidamente para o pescador:

— De Rosalina?! Oh! Diga, diga depressa! Como estão eles? São felizes? Ricos?

— Riquíssimos e muito felizes, digo-lhe mais... em breve serão nobres!...

— Nobres?!...

— Pois então? A excelentíssima senhora dona Rosalina vai casar-se com um fidalgo de muita boa linhagem e de muito bom dinheiro!

— O senhor está gracejando! Não pode ser! — disse Miguel, fingindo tranquilidade.

— Gracejando? — berrou o homem. — Pela Madona o juro eu! — e beijou a palma da mão.

Miguel sentia-se horrivelmente oprimido — tinha vontade de continuar o interrogatório, mas ao mesmo tempo temia ouvir alguma verdade inédita, que o esmagasse de todo; temia uma explosão de dor atacar-lhe logo uma sensação nervosa e frenética; uma dubiedade de mulher grávida; latejavam-lhe as frontes, como contundidas por este dilema de ferro — calar-se, nada ouvir sobre Rosalina e sofrer — ou ouvir muito, saber tudo e sofrer mais. O coração saltava-lhe dentro como uma rã no charco; acometiam-lhe desejos extravagantes e inexplicáveis. Sentia-se com apetite de ser um homem mau, desregrado e inútil; tinha como um prazer de ouvir dizer mal de Rosalina e ao mesmo tempo ardia por esbofetear aquela sombra impertinente que tinha defronte de si, o pescador; porém, aquele homem era o primeiro que, no seu exílio, lhe falara sobre Rosalina; então tinha vontade de abraçá-lo.

Estava triste, mas estava alegre; desejava cantar, mas soluçando; desejava abraçar Sombra da Noite, mas estrangulando-o.

Temos às vezes dessas contradições no nosso espírito, que, expostas assim, parecem disparatadas e absurdas.

Qualquer resolução todavia atravessou como um relâmpago o cérebro do artista — cruzou os braços e fitou Sombra da Noite.

— Tem certeza do que está dizendo?

— Tenho — respondeu com firmeza o pescador — tanta quanto tenho de saber que falo com o senhor Miguel Rizio.

Miguel tornou a estremecer; agora, porém, era a ideia da raiva de Maffei que lhe surgia negra e ameaçadora. Seria isto uma cilada? Estaria aquele homem pago por ele? Miguel desconfiava, mas ardia de curiosidade; finalmente, descendo de seu espasmo, disse descansadamente e afetando o mais frio desinteresse:

— Com quê, o senhor conhece-me?

— Perfeitamente, cavalheiro, e até desejo falar-lhe.

— A respeito de Rosalina?

— Sim, senhor, a respeito de dona Rosalina.

— Então fale! — disse Miguel já não se podendo conter. Fale que...

— Agora é impossível.

— Então quando?

— Quando estivermos a sós. Eu moro naquela choupana. E Sombra da Noite indicou a casinha que quase já se não divisava. — O senhor pode procurar-me aí. Quer vir amanhã?

Miguel não respondeu. Tinha a cabeça baixa e o queixo descansado na mão direita.

Depois de um quarto de hora, Sombra da Noite quebrou o silêncio.

— Então vem?

Miguel ergueu resolutamente a cabeça.

— Venho!

— Amanhã?

— Não! Hoje?

— Pois até à meia-noite, disse o pescador, dando-lhe as costas e descendo as pedras. Daí a pouco tinha desaparecido nas trevas.

Miguel continuou a olhá-lo por algum tempo; depois sacudiu os ombros e tornou a tomar as mãos dos pequenos.

Meia hora depois, caminhavam pela estrada. Na alma tenebrosa do artista, após tão longa noite, raiara afinal um clarão triste, de desesperança e despeito, mas era uma luz, enfim.

E como a mariposa que festeja a própria luz que a há de queimar, começou a alvoroçar-se, cantarolando nervosamente.

As crianças, tomando aquele cantar por expansão de alegria, abriram também a imitá-lo, até chegar a uma cocheira, onde tomaram um carro que os levou alegremente a casa.

XI

Miguel voltou incontinenti.

A viagem foi demorada em virtude do caminhar incômodo da carroça. Mal chegado à cocheira, montou, sem tomar fôlego, um cavalo que lhe pareceu melhor e galopou para o lugar da entrevista.

Daí a pouco atravessava de vertiginosa carreira todos aqueles barrancos, impregnados para ele de saudade e tristeza, de amor e de fadigas.

Parecia mais galopar na impaciência de chegar do que no seu cavalo.

A solidão, o marulhar na costa, a hora adiantada da noite, erguiam-se como enorme fantasma de neblina e espuma, que lhe vinha avivar a cólera de Maffei; o luzir vermelho e colérico dos olhos da fera, ainda o sentia ele dentro de si, como duas brasas a lhe queimarem os ossos do crânio. Esses olhos, que Miguel viu pela última vez antes de cair no precipício, procurava desde então esconder com o manto claro das suas ideias; entanto, ele os sentia a queimá-las, a esburacá-las e, depois de encardi-las, reaparecerem ameaçadores e vivos, a espreitar de dentro os seus movimentos, palavras e mais íntimas intenções, como se fosse o próprio olhar da consciência, mas de uma consciência ébria.

Sim, porque a consciência também se embriaga, e nesse estado diz coisas sem nexo e às vezes obscenas.

Ela, como toda a mulher quando se embriaga, fica nojenta — arregaça as mangas e as saias, fuma, cospe-se toda, ri-se como os marujos e bebe como os soldados; perde, enfim, a vergonha e o pudor.

As grandes crises podem divinizar ou prostituir uma consciência do mesmo feitio que um grande amor pode divinizar ou prostituir uma mulher.

A casta, a pudica, a terna consciência do artista dava nessa ocasião gargalhadas de barregã; contudo, lá ia ele a galopar com ela na garupa. Levava consigo a bêbeda e pelo caminho abraçavam-se e beijavam-se como dois amantes doidos.

De fato é loucura o amor sem conforto que passa de cinco anos; o cérebro e o coração também concebem e os fetos às vezes saem alucinados, extravagantes e incoerentes.

A ideia fixa, que acompanhava Miguel há quatro anos, era um feto desse gênero, fecundado pelo amor e pela desgraça e endoidecido pelos próprios pais; esse feto crescera, crescera ainda mais e quando nasceu mamou nas tetas de uma fera.

— Uma fera doida, eis a ideia fixa de Miguel nessa noite; presa, era horrível; solta, deveria ser fatal.

Nesse estado chegou ele à cabana do desconhecido; apeou-se e empurrou com um murro a porta.

Sombra da Noite dormia tranquilamente sobre umas palhas no chão; a claridade amortecida das estrelas, que se introduzia pela greta da porta, iluminava frouxamente o interior miserável da casinha.

Miguel arquejava; dir-se-ia o ressonar da sua consciência ébria; à vista, porém da tranquilidade rústica com que dormia o pescador, fugiram envergonhadas as suas suspeitas e foi cheio de confiança que se chegou para o acordar.

Sombra da Noite espichou uma perna, abriu duas vezes a boca e levantou-se finalmente, fazendo o sinal-da-cruz.

— Espere, homem! — disse ele a Miguel — não vá dar com as pernas por aí!

E recolheu-se ao fundo da casa, donde voltou pouco depois com um rolo de cera de abelha torcido e encerado.

— Sente-se por aí! Olhe, tenho só este madeiro; não faz lá muito bom assento, mas serve.

E empurrou para Miguel um tronco de nogueira, única mobília da casa.

Miguel sentou-se, ardendo de impaciência.

O homem foi ao outro quarto, bebeu água de um púcaro de barro, acendeu o cachimbo e fechou a porta com uma tranca de madeira pesada; depois, encostou-se à parede, com as pernas cruzadas e o indicador da mão esquerda engatilhado no cachimbo, e disse entre uma baforada de fumo e um bocejo:

— Agora vamos ao que serve!

XII

Às quatro horas da manhã; já no Oriente passeava a aurora a sua alegria cor-de-rosa, contrastando com a terra toda tranquilidade e sonolência; somente da choupana de Sombra da Noite uma claridade avermelhada empalidecia ao clarão matutino do dia.

Parece que a natureza ao acordar vai apagando com as brisas da aurora as luzes mesquinhas das alcovas do homem. Quão ridícula e miserável é a luz mortiça de uma vela em presença da luz vivificante do sol — dir-se-ia o espírito de um homem comparado ao espírito de Deus.

Também devem ser assim mesquinhas e pálidas as nossas almas em presença do incriado no tremendo dia do Juízo Final!

A portinha da choupana rangeu, depois da detonação que fez a tranca pesada de madeira ao cair na terra do chão e deu passagem a Miguel, seguido de Sombra da Noite. O moço vinha transformado pela insônia e fadiga; o outro ajudou-o a montar o animal, que tosava fora os detritos da ladeira, dizendo-lhe secamente:

— Até amanhã...

— Então posso contar com o seu auxílio? — volveu Miguel, firmado nos estribos e segurando com uma das mãos o chapéu que o vento se esforçava por arrancar.

— Para a vida e para morte! — respondeu o pescador, recebendo dinheiro da mão que Miguel lhe estendia.

O cavalo disparou e sumiu-se com o cavaleiro na estrada. Pouco e pouco foi-se perdendo o som metálico da ferradura pisando o chão. Fechou-se de novo a porta da choupana sobre Sombra da Noite, e desapareceu a luzinha vermelha.

O sol acabava de levantar-se no horizonte, trêmulo.

XIII

Nesse mesmo dia, Miguel, compondo boa sombra e bom gesto, se desfazia em razões por descontinuar em casa da família L...

— Já que está tão aferrado à sua resolução, parta, meu amigo — dizia o protetor de Miguel, entregando ao protegido o saldo dos seus salários — mas não se esqueça que aqui fica uma família que tanto o aprecia, como estima. Se algum dia suceder que volte, venha de novo ter conosco; prezamos contar para meus filhos com o mesmo mestre e para mim com o mesmo filho. Venha! O senhor será sempre recebido de braços abertos nesta casa; e pode, tanto disto, como da afeição sincera que nos inspirou, levar certa a vitória, mais ganhada por direito do que por conquista!

E levantando mais a voz, em cuja firmeza se percebia a experiência e a convicção, disse como um profeta:

— O senhor é um homem de bem!

— Obrigado — balbuciou Miguel comovido, e beijou-lhe a mão.

As crianças escutavam boquiabertas.

— Mas o meu mestre vai para ficar? — perguntou Beppo.

— Espero que não, meu amiguinho; um dever de amigo constrange-me a partir para Nápoles, mas, logo que me seja possível voltar, continuaremos os nossos estudos e os nossos passeios; quanto à boa amizade — ah! essa, garanto, em desfavor da ausência e do tempo, continuar na mesma altura.

Assim dizendo, Miguel abraçava Beppo e os irmãos.

Os meninos, entretanto, vestiam tal seriedade, que mais pareciam zangados que pesarosos. Convém notar que em Miguel não viam eles a carranca do mestre-escola, mas o olhar inteligente e amigo do companheiro de folguedos; metera-lhes, é verdade, o bom moço, a carta do ABC nas unhas e na memória, mas em compensação ensinara-lhes a tirar funda, a lançar o pião, a nadar e vencer barrancos e finalmente instruíra-os na grande ciência de fazer armadilhas e laçar passarinhos e lagartos.

Ora, quem ensina destas artes às crianças é fatalmente adorado por elas, e, por conseguinte, mesmo barateando a simpatia natural de Miguel, os filhos do senhor L... tinham jus a estremecer o mestre, para, assim de coração tranquilo, o verem partir tão inesperadamente.

A amizade das crianças, como toda afeição dos fracos, é egoísta; os pequenos constituíam para si um direito absoluto sobre o amigo. Tiravam-lho? Tanto pior! Por quê? Não queriam saber de razões; fossem quais fossem as causas, o efeito era evidentemente desfavorável e mau. E tanto bastava para estarem enfiados e furiosos.

Jeovanito, o mais moço dos três, vendo que nada conseguia pelo suposto direito, achegou-se do mestre e disse-lhe, ameigando-lhe os dedos com a sua mãozinha gorda e rosada:

— Fica, meu mestrinho!...

Dito isto, ficou a olhá-lo suplicante, fazendo dos lábios, que talvez ainda cheirassem a leite, um biquinho de enfado e ternura.

Miguel respondeu negativamente com a cabeça enquanto o beijava.

Desesperou-se o pequeno, e, conhecendo a nulidade de seus esforços, arremessou com toda a delicada força de seu bracinho uma pancada no ombro de Miguel, acompanhando-a dos epítetos mais engraçados e injuriosos que pode dizer uma criança.

Por outro lado, a mãe dos meninos também apresentava, com muita brandura de gestos e delicadeza de palavras, as suas sinceras oposições; e delas, vendo a virtuosa senhora o nenhum êxito, volvia a aconselhar o amigo de seus filhos, com tais carinhos e meiguices de mãe, como se aos próprios filhos o fizesse.

A mãe em tudo revela a maternidade, seja ela a mãe de Cristo ou a fêmea de um leão; entre a brandura celestial da santa e a ferocidade mundana da leoa está esse sentimento sublime, esse amor incomparável que tudo pode, tudo vence, tudo desbarata para salvar o filho. Penda para uma das extremidades, penda para a outra, seja divina ou seja bestial, há de ser mãe — ora comove pedras com as lágrimas do anjo, ora vence gigantes com as garras da fera; ora pede de joelhos, ora ameaça com as unhas; ora suplicante, ora ameaçadora, mas sempre sublime, sempre mãe!

Miguel despediu-se da mãe dos seus discípulos sumamente comovido; ela fê-lo chorando e chorando dependurou-lhe do pescoço uma medalha de cobre com a imagem da Madona.

— É para que o proteja e ajude — disse a boa senhora abençoando-o, e, distribuindo depois pelos filhos objetos de uso, como pentes, escovas, lenços e gravatas, disse-lhes:

— Vamos, meus filhos, deem esses mimos ao seu mestre e peçam a Deus que o abençoe e o acompanhe.

As crianças, quase em coro, repetiram automaticamente as palavras da mãe.

O senhor L... ofereceu-se ainda uma vez ao viajante para escrever a alguns amigos de sua confiança, recomendando-o; ao que se opôs reconhecido Miguel, pretextando parecer-lhe isso nimiamente desnecessário.

— Então, repito-lho, meu amigo, vá e não se esqueça de nós.

— Seria preciso ser muito ingrato — disse Miguel, abraçando-o pela última vez, o que foi fazendo por todos até sair, depois de beijar repetidas vezes os discípulos, que se conservaram imperturbáveis e sérios.

Quando Miguel desapareceu, os pequenos desataram a chorar ruidosamente.

Decorreu para a família L... um dia comprido e triste.

Terceira parte

I

Nas terras pequenas, onde as ambições e o egoísmo são relativos ao tamanho do lugar, são entretanto os corações extraordinariamente maiores que nas grandes capitais.

Parece que essa víscera diminui na razão inversa do engrandecimento de uma cidade; quanto maior for a terra, mais ridículo e corruto é o coração de seus filhos. Ele é como o barômetro da civilização, que o sufoca e amesquinha.

Cada vez acreditamos mais que a inocência anda de par com a ignorância, como a lealdade e a franqueza com a inexperiência, como o progresso com a desconfiança, como a glória com o egoísmo, como a ambição com a desvergonha e finalmente como a riqueza com a miséria.

Os milhões e as misérias degradantes são o patrimônio das cortes, como a mediocridade de haveres e a ausência de absoluta miséria são o das pequenas cidades — acumulam-se de um lado os bens para faltar do outro — acumulam-se mais, mais ainda, exageradamente mais, e mina pelo outro lado a miséria degradante, inconcebível, sem nome.

Esse desequilíbrio da fortuna produz o equilíbrio da balança social, o equilíbrio das classes. Do contraste das circunstâncias nasce a indústria e o comércio; estes são o progresso e a civilização.

E o que fazem o progresso e a civilização ao contemplar a paz dos campos, a felicidade serena do lar, a fortuna dos obscuros e ignorados filhos da província?

Riem-se grosseira e estupidamente.

A ingênua hospitalidade da província, a espontaneidade no obsequiar, a facilidade de amar, o desinteresse no servir, o desejo de agradar, o compadecer dos infelizes, o consolar os desesperados, a obrigação de proteger os fracos, o interesse pelo semelhante, e mil outras virtudes dos pequenos lugares, passam ridiculizadas senão desconhecidas nas grandes capitais, onde o dinheiro forma um centro de gravidade, em torno do qual, como formidável mundo planetário, gravitam, sujeitos e dominados pela força centrípeta, a moda, a aristocracia, a elegância, a vaidade, o orgulho, o egoísmo, a ambição, o desamor, a indiferença, a baixeza, o roubo, a mentira, a torpeza, a desonra e mil outros vícios brilhantes, cujas centelhas são todas as vergonhas, todas as misérias, todas as corrupções sociais!

A hipocrisia é moeda corrente nos grandes meios e há como um comércio de ódios surdos entre os correligionários mais íntimos e comunicados desse círculo, dourado na superfície e podre no fundo.

Tudo ofusca! Tudo luz! Porém nada conforta porque nada tem valor sincero e real.

Na província os sentimentos são mais nus e verdadeiros e as almas mais humanas e firmes. Aqui o coração é coração, o bom é bom e o mau é mau; aqui as mães são verdadeiramente mães, ali muito raras das vezes o são; aqui a mulher quer ser mãe para ser feliz, ali não quer ser mãe para não afear; aqui o amor e o casamento são coisas puras, fáceis e naturais, ali são jogos de especulação e de interesse individual. Nas terras pequenas o casamento é, em geral, uma consequência do amor; nas grandes, quando ele no casamento exista, o que rarissimamente sucede, é uma consequência do casamento, isto é, da convivência e do hábito.

Daí os imensos crimes e as torpezas mesquinhas; daí os filhos raquíticos e desestimados, as mães doentias, céticas, aborrecidas e sem amor.

Na província, enfim, cada um tem o seu coração, por ele vive e pratica, por ele ama e só ele delibera; na capital há somente um coração para todos, podemos dizer um coração oficial, uma víscera da nação, um aparelho mecânico e econômico — tem a mesma pulsação e o mesmo calor para todos; é quase que um coração artificial; é mais um objeto de luxo, que um órgão necessário; é uma teteia dourada, é um boneco de papelão, é um trapo, é lama!

Pode haver um bom povo numa grande capital, convimos, mas urge compreender que um bom povo não diz o mesmo que uma boa gente. Assim como uma atmosfera, aliás boa e salubre, se compõe de moléculas boas e más, cuja combinação produz magníficos resultados; assim também o povo de uma grande capital, como o de Paris, por exemplo, ou de Madri, pode ser bom no todo e ruim em partes.

Junto, unido, fundido em massa, ligado compactamente pelo entusiasmo, pelos brios políticos será bom, porque é brilhante e é grandioso, porém como as montanhas, só produz efeito visto de longe, donde com um olhar se abranja o todo e não as partes. Será belo, através dos prismas encantados da história e dos séculos, será transparente e azul, depois de uma refração, como nos aparece o éter através da luz do sol e dos gases atmosféricos, porém de perto é grosseiro e informe como a montanha, pedras bruscas e ruins, vegetações enfezadas, barrancos perigosos, onde se escondem répteis malvados e traiçoeiros.

Assim é o povo de uma capital civilizada, pode ser bom no conjunto, mas em geral os homens que o formam são entre si maus e viciosos.

II

Fria e fisiologicamente esmerilhando a verdadeira causa, não é espantar, como parece à primeira vista, que a estranha família de Lípari se houvesse tão boa, tão patriarcalmente virtuosa, tão desafetadamente ingênua, tão infantilmente generosa e protetora, para com um pobre moço que se apresentava como mestre, sem proteção, sem dinheiro, sem atestados de colégio, sem outros dotes, que o recomendassem além dos morais e intelectuais.

É que nos lugares pequenos abrem-se os corações antes de se abrirem os olhos; preferem o bom caráter e os bons costumes à grande sabedoria e à brilhante nomeada. Ninguém se diz — mostra-se; ninguém pergunta — vê.

E se procurássemos bem a causa de tudo isto, haveríamos de descobrir que, em vez do ar polvilhado das ruas estreitas das cortes, dos acepipes caprichosos dos hotéis, dos vestidos apertadíssimos de baile, das encanecedoras vigílias, das festas, do abuso dos perfumes, do uso dos licores excitantes, dos sentimentos contrariados, das dores disfarçadas pelo riso e das lágrimas fingidas; em vez de tudo isso respiram os da burguesa província o ar livre dos campos, comem os frugais legumes de suas hortas, vestem-se à larga, dormem cedo, encantam-se com os perfumes das flores e delas tiram as mulheres os seus ornatos, e mostram no olhar e no sorrir as dores ou alegrias que lhe vão por dentro.

Não é de pasmar tal contraste entre os civilizados filhos das grandes capitais e os singelos habitantes dos lugares pequenos, porque os estômagos de uns são diametralmente opostos aos estômagos dos outros, e o homem é bom ou mau, conforme o estado mau ou bom de seu estômago.

Os perfumes e o álcool estragam o cérebro e desbotam a memória; as anquinhas confrangem a respiração; o pó arruína os pulmões; os hotéis encarregam-se de aguar o sangue; enfim todos estes cúmplices da morte, que constituem o deleite e o encanto das grandes capitais, principiando por estragar o estômago dos cidadãos classificados, acabam por dar batalha à alma, que se enerva, se gasta, se corrompe e apodrece.

Agora voltemos de novo à medalha. Os outros! Como são felizes! Como são sadios! Como do que vivem todo o elemento fortifica e avigora. Como são bons e alegres, que pois têm bom o estômago e puro o sangue!

O bom estômago é a base de toda e qualquer felicidade possível. Sem estar em perfeito estado o estômago, não pode haver alegria; sem alegria não há saúde e, sem esta, que seria a virtude? A virtude é uma consequência da saúde e da alegria; a tristeza depõe contra a virgindade e contra o amor. E finalmente que são a virtude, a saúde e a alegria, senão a mais completa felicidade humana — a família?

De mais — a beleza! Não será ela o conjunto dessas três qualidades reunidas? Não será a beleza a continuação da saúde, da alegria e da virtude?

— Certamente que sim, como certamente é esta a única possível e verdadeira fortuna.

Logo, os filhos das grandes capitais são geralmente maus e duplamente desgraçados, que além da desgraça de o ser, têm ainda a, porventura maior, de conhecer que o são.

E todavia continuam a ir se torcendo dentro das suas jaulas de ouropel, a entulharem, com os esqueletos vivos — os hospitais, e com os mortos — os cemitérios.

Deixemo-los viver ou morrer.

III

Para onde e para que se dispunha Miguel com tanto afã? É o que vamos ver e o que necessariamente ficou concertado desde aquela singular entrevista na choupana de Sombra da Noite.

Prepararam-se como para uma pesca no alto-mar; Miguel abriu francamente a bolsa a Sombra da Noite, e este soube servir-se dela com inteligência e economia; fretara um barco grande de pescar, comprara provisões, salgara bastante peixe, empacotara lenha, bolacha e frutas secas, enchera duas talhas de água fresca, munira-se de bom vinho e aguardente, arranjara duas macas, alcatroara os competentes archotes de feno e com tal zelo e atividade se houve em tudo, que à meia-noite todo o necessário estava pronto.

O vento era favorável e já o barco se sacudia impaciente na praia. Entre esta e o barco, grosso archote, coberto de resina, espalhava um clarão avermelhado e fumífero, parecia, refletindo na umidade da areia, uma brasa cuidadosamente colocada sobre uma lâmina de vidro.

De vez em quando interrompia a luz do archote o vulto negro de Sombra da Noite, carregado de mantimentos, que ia deixar a bordo; logo voltava com água pela cintura, subia de novo a ladeira e tornava a descê-la vergado com a carga. Seis ou sete carretos e dera por feito o carregamento. Então armou a tolda no tombadilho, empurrou com cuidado as talhas para um lado, calçou-as e depôs, ao alcance da mão, a borracha de aguardente; abriu em seguida a escotilha, arrumou nela os fardos de víveres e subiu novamente à coberta; aí fez lume para disfarçar a umidade, estendeu um bom encerado, armou duas macas, e, tomando fôlego, que tudo isto o fizera cansar, disse em voz alta:

— Pronto, com os diabos!

Depois, por sua conta e de sua ideia, assestou à proa quatro anzóis e duas redes de pescar. Feito isto, tirou vagarosamente tabaco de uma bolsa de couro, encheu bem o cachimbo, olhou em torno, procurando descobrir o que faltava e disse satisfeito:

— Bom!

Acendeu o cachimbo, voltou à praia e subiu para casa, cantarolando muito tranquilamente e muito contente de sua vida.

Já lá estavam à espera Miguel e o cão.

O artista desprezara as roupas graves do professor e revestira a sua antiga e singela blusa de artista ambulante: tinha na mão o estojo da sua querida rabeca, uma faca de bainha na cintura, na algibeira todo o dinheiro que possuía e no coração toda a esperança que lhe restava, na cabeça... Ah! nessa, além das harmoniosas concepções, que um amor malfadado lhe inspirara outrora, apodrecia de há muito uma ideia sinistra e repugnante, dependurada da imaginação, como o cadáver contraído de um enforcado.

E, seguido dessa ideia, negra, como a sombra informe da sua própria desgraça, sentia alvejar, nas margens opostas do mar de Sicília, a roupagem transparente de um anjo, que o chamava de lá. Era isso a sua estrela; seguia-a indiferente a tudo mais que o cercava, via-a somente, só ela, luzir no fundo negro do seu futuro, como farol de única salvação possível.

Alvo, farol ou estrela, apagassem essa esperança e a vida para Miguel seria toda trevas e gelos.

— Roubem-na, pensava ele, e esta vida não será mais que uma enorme sepultura.

Castor dormia profundamente aos pés do amo.

— Pronto, patrãozinho! — disse Sombra da Noite, chegando a casa.

— Podemos ir?

— Quando quiser — respondeu o pescador, tomando do chão a torcida acesa.

Miguel tomou o capote de um prego donde estava dependurado e, embrulhando-se, saiu, acompanhado de Castor, que, rápido, lhe tomou a frente e desceu a ladeira.

Sombra da Noite fechou por dentro a porta com a tranca de nogueira, foi ao outro quarto e fez o mesmo à porta do fundo e, depois de apagar o pavio, pisá-lo e metê-lo na algibeira, afastou de um canto do teto o choupo e, espremendo-se pela estreita abertura, saltou fora, exclamando:

— Até a volta, se te encontrar viva ou se eu não estiver morto!

Em cinco minutos, alcançou Miguel.

Chegados à praia, o homem tomou nos ombros o artista e carregou-o para bordo. Castor seguiu-os a nado.

Miguel agarrou-se ao portaló e pulou no barco, estendeu depois um braço e puxou Castor para dentro; o cão entrou todo a sacudir-se, salpicando água do corpo. Sombra da Noite foi o último e fechou o portaló; em seguida, voltando para Miguel, apresentou-lhe o barco e os seus arranjos, explicando a serventia disto, elogiando aquilo, falando de tudo e dando a entender que tinha consciência do bom desempenho da sua comissão. Miguel distraidamente passeou a vista pelo interior do barco e declarou-se plenamente satisfeito.

Suspendeu-se a amarra, guindou-se a vela grande. O barco começou a embalar-se, movendo-se a princípio com dificuldade, como se tivesse acordado naquele instante, parecia mesmo que se espreguiçava; logo, porém, cedeu ao leme de Sombra da Noite, virou a favor do mar e entrou a navegar com vento em popa.

Partiram.

IV

O barco atravessava descuidado o perigoso mar de Sicília, em demanda das praias napolitanas.

Quem o governava? O nordeste? O braço de pescador? A bússola? Uma estrela? Algum farol? A fé em Deus? O capricho do mar? Nada! Nem o braço mesquinho do homem, nem o dedo poderoso de Deus, nem a vontade de um, nem o querer do outro. Governava-o sim, um coração apaixonado.

O barco estremecia com o pulsar desse coração boêmio; o seu verdadeiro comandante era o amor, esse que não conhece tempestades nem bonanças, esse que é tranquilo no sofrer e desensofrido na ventura, esse que sempre triunfa! O amor!

Parecia demandar os portos de Nápoles, mas em verdade o que demandava ele era tão-somente a mais forte das fragilidades humanas, a mais heroica das fraquezas divinas, o mais diabólico dos anjos terrestres, o mais angélico demônio celeste: a mulher!

Esse conjunto do que há de santo e do que há de tentação, esse amplexo do bem com o mal, esse beijo de Deus no homem, essa lágrima doce e venenosa de piedade e ciúme, esse motivo do inferno, esse mesmo inferno e esse paraíso, essa mocidade, essa riqueza, esse tudo, esse nada; a mulher!

Ia em demanda de uma mulher, isto é, ia naufragado; uma mulher é sempre uma ilha desconhecida.

Entretanto, navegavam; entretanto, o vento e a noite corriam favoráveis e tranquilos: a natureza é verdadeiramente fidalga, boa e orgulhosa; dá indiferentemente, não olha para quem recebe; favorece e passa distraída.

O barco corria rápido e macio, as enxárcias esticadas, a vela gorda de vento, a proa alta de cortadora, o casco trêmulo de ligeiro. Miguel, de pé, esbelto, pensativo, com a rabeca em punho, quebrava da noite o silêncio encantado, com as vibrações harmoniosas de seu instrumento; gemia o arco apaixonado e as vagas alevantavam-se, convulsas e encapeladas, para o ouvir e admirar, e logo depois recaíam, deslocando-se magnéticas sobre as suas molas quebradiças.

E o barco embalava-se como um berço de gigante; e a música fugia com o vento, e Nápoles vinha pouco e pouco se aproximando.

V

Mal chegados, atracou o barco e saltaram os viajantes, seguidos do cão.

Sombra da Noite, por maior segurança, escolhera para o desembarque uma praia de pescaria, das muitas em que abunda Nápoles, e disfarçadamente vestido de pescador, carregava cantando à moda destes, o peixe que apanhara durante a viagem.

Seriam, quando muito, dez horas da noite, hora essa de se prepararem os pescadores para a pesca noturna em alto-mar. Tudo estava pronto; viam-se as redes esticadas, amontoados os archotes e cheias as borrachas.

Dirigiram-se os dois e Castor para uma tasca fronteira à praia; aí, segundo o costume, esperavam os pescadores, com as competentes mulheres e filhos, a vez da maré, entretidos a cear ou a beber. Os recém-chegados, que, a despeito da vontade e do disfarce, chamavam a atenção geral, foram-se assentando com afetada indiferença e bebendo com sofrível vontade.

Sombra da Noite tratou logo de se desfazer do peixe, arranjar pouso para a noite e ajustar preços; feito isto, saiu com o companheiro da tasca e, sempre acompanhados de Castor, desprezaram a praia e entranharam-se pela cidade.

Miguel não conhecia Nápoles e, carregado da sua rabeca, deixava-se ir acompanhando o guia; assim palmilharam muitas ruas, a princípio tomando para a esquerda, seguiram depois transversalmente, ora atravessavam uma rua estreita e deserta, ora uma larga e concorrida; até que afinal chegaram a um lugar espaçoso e arborizado; depois de ligeira hesitação, venceram o largo e meteram-se por uma bonita rua, larga, bem calçada e mais concorrida que as outras.

— É esta — disse o pescador sem parar. Miguel levantou os olhos para uma tabuleta e leu: Rua de Toledo. O coração bateu-lhe mais apressado.

Continuaram a andar, silenciosos. À proporção que o faziam, diminuía o número de transeuntes, era a noite que se adiantava. Uma vozeria confusa e alegre partia dos cafés e dos grupos rareados.

Castor, de cauda interrogativa e focinho baixo, ia na frente, farejando sofregamente as pedras estranhas para o seu faro.

Nem sequer olhavam os viajantes para as preciosidades naturais e artísticas que se desenrolavam a seus olhos; contudo ali estava um artista, não sem alma para ver, sentir e admirar, mas tão tomado de suas preocupações, tão pasmado e absorvido por uma ideia fixa, que não lhe dava a alma pressa de regalar a sede do artista, quando o coração se ressequia à míngua de outro orvalho. Um artista, um *lazzarone* e um cão, isto é, o primeiro abstrato, o segundo rude e o terceiro irracional, são justamente as espécies mais refratárias ao belo, mas em verdade é que pareciam identificados pelo mesmo interesse e levados pelo mesmo fim, porque, igualmente apressados, caminhavam no mesmo compasso, se é que dois homens podem andar pelo compasso de um cão.

De repente Castor se pôs a ladrar contra um portão de ferro, que servia de vasta entrada para um jardim, em cuja casa muito se dançava e folgava. A música do baile absorvia os latidos do animal; este, porém, ladrando cada vez mais, enfiava a cabeça e as patas pelos intervalos dos varões lanceados da grade.

Nas salas principais do edifício estorcia-se o baile em convulsões sensuais; da rua viam-se rodar vertiginosamente as cabeças muito frisadas e as espáduas nuas de alabastro e banhadas de luz.

Sombra da Noite parou, olhou com atenção para a fachada do edifício e calcando a cinza do cachimbo, disse secamente:

— É aqui.

Miguel estava imóvel e distraído; tinha os olhos arregalados e as mãos frias; a luz imensa, a música, o luxo, o zunzum das sedas e veludos, ofuscavam-no, ao mesmo tempo que o enchiam de raivosa tristeza.

— Agora — disse o outro em voz baixa — podemos entrar por ali, sem risco de sermos vistos. Conheço uma ruazinha particular pertencente à casa e por onde é permitido ao povo transitar.

E arrancando o companheiro do labirinto de reflexões em que parecia perdido, foi com ele atravessando a frente do edifício. Miguel ia atrás, caminhava de cabeça baixa e passos lentos. Desse modo costearam o jardim pelo lado esquerdo, depois, embrenhando-se por uma sombria alameda de laranjeiras, Sombra da Noite disse ao companheiro:

— Esta rua cerca toda a casa; caminhemos por aqui.

Quando chegaram ao meio da ruazinha, o guia parou novamente, acrescentando em segredo:

— Daqui se vê perfeitamente o fundo de toda a casa. Aquela grande varanda em forma de arco — disse ele, apontando para a enorme balaustrada do andar superior —, fecha toda a casa; por aí pouca gente pode agora transitar, porque naturalmente estão entretidos com a dança e com o jogo; os salões do baile são no centro, e a ele pertencem aquelas cinco janelas que o senhor viu da rua; dos lados estão os dois salões do jogo e dão também para a rua aquelas duas outras janelas, que o senhor viu de cada lado, porém, compreende? É tudo resguardado pela varanda, onde agora não chegam os convidados. Estão no diabo da festa! Daqui a pouco se ouve o barulho que fazem, porque o vento leva contrário. Olhe agora para baixo, continuou Sombra da Noite, debruçando-se nos ombros de Miguel e acompanhando a descrição com o indicador da mão direita, olhe! Vê aquela grade de mármore? Na parte escura!... Está inteiramente sombreada pelo diabo da varanda do andar de cima...

— Onde estão aquelas vidraças de cor? — perguntou Miguel, todo atenção.

— Justo — disse o outro estendendo à palavra os lábios. — Também é o único aposento do andar de baixo que tem luz. Pois ali — continuou, abaixando misteriosamente a voz e chegando a boca ao ouvido de Miguel — é o aposento particular da filha do senhor Maffei!...

Miguel encostou-se à grade do jardim, segurou a cabeça com a mão e ficou a fitar embevecido as vidraças coloridas da janela. Sentia uma tempestade na alma; luziam-lhe ali na sombra os vidros iluminados do quarto de Rosalina, como um farol no alto-mar.

Teria ele encontrado o porto?

— Eu conheço — continuava Sombra da Noite, contendo Castor, que se queria precipitar pelas grades do jardim — tão bem estas casas, conheço toda a cidade de Nápoles, palmo a palmo! Que quer? Aqui fui criado, aqui brinquei, cresci e corri! Todas estas casas novas, que o senhor vê por cá, foram levantadas sobre as ruínas de um antigo convento de frades. Em pequeno ainda apanhei esse convento; estes lados eram os da *vila*, de negras paredes, muito altas e feias. Com os diabos! Parecia um cemitério! Hoje está tudo isto acabado, assim mesmo a única coisa que conservam do convento é um cruzeiro de pedra, que deve ter ficado para aquelas bandas — e indicava com os beiços o lado oposto à casa. — E se isso ficou, meu rico cavalheiro, foi porque não na puderam destruir e não por ser, como disfarçam eles, obra de grande arte e merecimento. Ora, quem não sabe que estes lugares não são bons?! Neste chão — dizia ele, batendo com o pé — há sangue mau de frades, que os irmãos matavam para lhes ficar com os haveres, e depois enterravam aí pela quinta, sem que a mais ninguém constasse. Todas as noites — continuava o velho, engolindo a saliva, cada vez mais aterrado — ao badalejar dos sinos grandes, aos sábados, à meia-noite, os diabos dos frades levantavam-se das sepulturas e iam, rezando, rezando... agarrar-se à cruz, e cada um a puxa para o seu lado por penitenciar os seus pecados. Há uma força que a prende a este chão amaldiçoado! Dizem até — e há quem tenha visto! — que o cruzeiro falou!... E eu acredito! — disse ele benzendo-se, todo trêmulo, com ambas as mãos.

VI

Continuava Sombra da Noite a discorrer por diante, enquanto Miguel, sem sequer se aperceber disto, fitava, encostado, imóvel, aos varões do jardim, a claridade colorida e alegre das vidraças de Rosalina, cujo aspecto festivo contrastava com o sombrio das grades negras e lutuosas do cárcere interior do seu espírito.

Ignorado, corria-lhe em silêncio, dos olhos, o pranto morno copioso.

Por que chorava ele, tão bom e generoso, ao contemplar a fortunosa opulência da sua querida amiga? Não a desejava por acaso feliz? Não queria para ela todos os bens da terra e todas as bênçãos do céu? Sim! Mas é que no meio da opulência daquele orgulhoso viver se haveriam de humilhar a singela blusa e a rabeca do artista.

Desgraçado! Chorava porque era moço, porque não tinha vivido bastante para saber que a vida é uma enorme decepção; chorava porque Rosalina era o seu primeiro amor, e o primeiro amor do homem é tão selvagem e feroz, como deve o ter sido o primeiro homem da natureza. Chorava porque a estrela que o conduzia na existência tingia-se de cores mundanas, em perda do celeste azul do seu fosforescer.

Era aquele chorar de Miguel um carpir triste e desesperançado sobre dois túmulos ainda mais tristes, sobre o de Rosalina e sobre o seu, porventura menos valioso que o dela; era chorar sobre o túmulo das recordações e sobre o das esperanças, o passado e o futuro, o nada e o nada.

E que mais é o nosso viver nesta espécie de mundo, senão uma ilusão entre dois nadas: o presente e o futuro? Dois nadas insondáveis e obscuros que fecham uma hipótese, chamada presente. Ontem saudades nebulosas; hoje mentiras e esterilidades; amanhã sonhos mal contornados. Eis a vida!

E assim cismava Miguel, enquanto o companheiro, sem lhe dar pela indiferença, continuava a papaguear, acrescentando:

— Não seria eu capaz de morar aqui, nem que me cobrissem de ouro! Meter-me com os demos das almas penadas, que...

Nisto avivou-se de repente a luz do quarto de Rosalina.

Miguel endireitou-se todo como uma cobra e prestou atenção. Sombra da Noite calou-se de todo e ficou também a olhar para a janela iluminada, dizendo baixinho, depois de algum silêncio:

— Entrou para o quarto...

Miguel chegou-se dele e disse-lhe imperiosamente:

— Deixe-me só e vá esperar-me na tasca. Leve consigo Castor e tome dinheiro para o que for necessário.

Sombra da Noite retirou-se silenciosamente.

O artista continuou imóvel e abstrato a fitar a janela; depois, como se quisesse falar àquela claridade risonha e colorida que de lá vinha, ergueu inspirado o arco, colou com frenesi a rabeca ao ombro, e os sons encantados, com que dantes comovera a sua amada, rebentaram plangentes e harmoniosos, como um coro de beijos e suspiros, soluçado pelos anjos.

Estaria ela no quarto?

Estava, com efeito, pois era essa noite, justamente a mesma em que Rosalina, concertada com o cavalheiro de bigodes pretos, abandonava os salões da dança, para refugiar-se volutuosamente extenuada nos seus aposentos, e aí ouvira o murmurar choroso de uma harmonia esquisita e conhecida.

Era essa mesma a noite, mesma era também a música, a rabeca a mesma, mesmos o arco, o artista, o braço, a inspiração, só Rosalina! Só ela não era a mesma, que dantes se arrebatava com aquela música bela e inocente como o amor de duas crianças.

VII

Miguel continuava a tocar inspirado.

A luz da alcova de Rosalina amortecia-se e as horas da noite foram-se sucedendo, tristes, frias, uniformes e silenciosas como as brisas do outono.

Os últimos arrancos do instrumento confundiram-se com os primeiros estremecimentos da aurora. Quando Miguel chegou à tasca, era já dia alto; estava deserta a praia de pescadores, que não tinham ainda voltado da pescaria.

Ligeiro enfiou-se o artista pelo quarto onde se acomodara Sombra da Noite, depôs num canto a rabeca e precipitadamente escreveu num pedaço de papel ordinário o seguinte:

"Rosalina:

Não morri e desejo viver só para te amar. Estou resolvido a fazer tudo o que me ordenares, até mesmo a minha própria desgraça, se ela a ti for necessária; em troca disso, peço-te, com a alma de joelhos, meu amor, que me concedas amanhã à meia-noite, uma entrevista. O teu lenço, atado ao balcão da tua janela, será o sinal de que ainda te merece alguma coisa. O teu escravo — Miguel Rizio."

Escrito, dobrado e subscritado este bilhete, Miguel acordou Sombra da Noite, que dormia a sono solto.

— Entrega — disse-lhe ele — do melhor meio que te acudir, hoje à noite, esta carta a Rosalina, se não lhe puderes falar, faze ao menos porque lha chegue às mãos, mas sem falta hoje! Entendes?

— Descanse! Que será entregue — disse Sombra da Noite, metendo o papel no bolso.

A missiva de Miguel chegou de feito às mãos de Rosalina, e, como vimos no capítulo em que justamente a deixamos, ela, acedendo ao pedido do ressuscitado amante, atara à meia-noite, como ele lhe pedira, o seu lencinho de rendas francesas no marmóreo balcão da janela.

Feito o sinal, Rosalina voltara a reclinar-se tranquilamente no divã, como quem se submete ao aborrecimento de qualquer cerimônia política; e, nessa dúbia postura, marcando com o pé o compasso dos segundos, dobrava e desdobrava o papel, que lhe chegara às mãos por intermédio de Sombra da Noite.

A pêndula marcara afinal a hora da entrevista. Um silêncio perfumado e volutuoso rescendia em torno de Rosalina, como uma auréola de desejos.

Há sempre nos aposentos da mulher bela um não-sei-quê de indizível e sedutor, que encanta e embriaga; uns perfumes de cabelos, de flores e de carnes, que lembram simpaticamente a curva macia e flácida de um bom seio de vinte e dois anos. Pode-se chamar a esse fluido esquisito o perfume do amor.

A claridade coalhada do globo de alabastro, a tepidez preguiçosa da atmosfera, o macio surdo do tapete, tudo, tudo juntamente desatinava e endoidecia os sentidos.

Rosalina, encantadoramente reclinada no divã, pendente para trás a cabeça, mole, úmido o olhar, as narinas sôfregas, os lábios entreabertos e ressequidos, comprazia-se em ver, espiando pelo franjado sombrio das pestanas, o arfar volutuoso das carnes macias do colo. A garganta carnuda, pálida e estendida, tinha uns tons frescos e uns estremecimentos de carnes gordas de criancinha de peito; as covinhas dos cotovelos, os saltinhos das carnes dos dedos, as unhas cor-de-rosa, os dentes cor de leite, os cabelos lânguidos, serpenteados e frouxos, a respiração comprimida, a língua úmida e vermelha, como um pedaço de carne viva e ensanguentada, em cuja pontinha refletia a brancura ferina dos dentes, tudo, enfim, levantava com explosão a chama doida e selvagem dos desejos.

E, todavia, ela estava quieta e letárgica, nesse quase sonambulismo, que não é bem indiferença, mas um esquecimento de si mesmo, um doce abandono de forças, comparável ao estado comatoso, que sucede aos prazeres sensuais e cansativos, nesse *dolce far niente* de uma mulher rica, que é mais formosa para os outros do que para si, quando, súbito, no quadro escuro da janela, aberta de par em par, se desenhou o busto desgrenhado de Miguel.

Vinha transformado e pálido como uma caveira.

VIII

Miguel precipitou-se na alcova e caiu soluçando aos pés de Rosalina, comoção amarga e deliciosa o dominava, como nos bosques a tempestade domina a corça.

Ele gozava e sofria amargamente. Rosalina ali estava, ao alcance dos seus lábios e de suas mãos, mas era Rosalina transformada; da primeira não existia mais que a formosura. E tanto assim, que aquela cena, em demasiado sentimental e trágica, começou a incomodá-la. Ela sentia-se interiormente arrependida de ter consentido nessa entrevista; contudo era inevitável; conhecia bastante o caráter do seu companheiro de infância, para, com razão, temer qualquer consequência má de uma recusa. De sorte que o melhor caminho a tomar era o da dissimulação e do dolo; não lhe faltariam certamente, para tal empresa, indústria e armas, que pois contava com a sua maleabilidade de florete e com a sua destreza de cobra. Quando não lhe era possível empregar a força, socorria-se às lágrimas e triunfava sempre.

Rosalina, apercebida com tais munições, pôs-se em guarda contra o temível inimigo que tinha diante de si. Bem sabia quanto são perigosas e formidáveis a inexperiência e a virtude quando amam.

A verdadeira paixão é selvagem, grosseira e egoísta, porque a delicadeza, a civilidade e a sociabilidade são obras do homem ou meras convenções sociais, e a paixão é um monstro antediluviano, criado pela natureza. O amor saiu diretamente da boca de Deus para o coração do homem; é esse o nosso único ponto de contato com o incriado.

Esse verbo eterno não conhece leis, nem pátria, nem senhor, como não conhece subdivisão nem variedade, é um, único e eterno: É o verbo ser da natureza.

Deus criou-o para o mundo e não para o homem; este como a fera, o réptil como o passarinho, amam da mesma forma.

Foi pensando deste feitio que Rosalina cobriu de carícias a vítima que tinha aos pés, e fê-lo sentar-se prosaica e comodamente, numa magnífica cadeira de damasco. E, depois de haverem pingado um por um os segundos do estilo, abriu a falar, protetora e carinhosamente, do seguinte modo:

— Oh! Como sou feliz e desgraçada por te tornar a ver, meu Miguel, porém se me encanta a tua presença, a situação que dela resulta me aniquila. Amo-te muito, mas é preciso seres prudente e teres — disse ela, sorrindo com intenção — muito juizinho... Eu já não contava contigo e tinha razões para isso; vi uma vez o precipício donde caíste, e tão terminante se me afigurou dele uma queda, que nunca mais me animei tornar a visitá-lo. Porém tinha saudades tuas, acredita — disse ela suspirando — sinto-me loucamente satisfeita por te ter novamente a meu lado. Se soubesses o que fiz para ter notícias tuas! Mas, enfim, sou feliz, agora se...

— Porém, é que... — interrompeu Miguel — disseram-me que tu te ias casar com um fidalgo...

— É verdade — disse novamente suspirando Rosalina — e não há outro remédio, senão nos conformarmos com essa sorte escura.

Miguel fez um gesto de impaciência e reprimiu o que ia a dizer.

— Mas que pensas? — continuou Rosalina, mudando de tom e afetando um transporte — supões, porventura, que me fugiram repentinamente da memória os nossos juramentos e a nossa fortuna? Crês que me parece ser a riqueza o melhor dos bens? Julgas que não se pode converter em luto o que foi nossa esperança? Tens que sou muito feliz? Ingrato!... Oh! Não, Miguel! Sofri amargamente e mais sofro agora. Quanta vez não amaldiçoei tudo que me cercava! Quanta vez não trocaria por um daqueles pacíficos e religiosos serões de Lípari, todos os faustos, todos os esplendores destas festas, que me acabrunham e me matam?! Entanto, tinha-te por morto, nossa choupana por incendiada e minhas amigas de infância, sobre indiferentes, prevenidas contra mim! É preciso esquecer-me de tudo!...

Miguel escutava imóvel e pensativo.

Rosalina continuou, abaixando a voz:

Meu pai está cada vez mais severo e mais ganancioso; agora toda a sua ambição é possuir um título qualquer de nobreza antiga, cuja realização só de mim confia; desde que um fidalgo arruinado, o Visconde de Cenis, com a mira no dote, me pediu em casamento...

— E tu consentes?! — perguntou arquejante Miguel — E tu vais ligar-te a esse infame especulador, mesmo sabendo que eu existo e só por teu amor o faço?!...

— Mas que queres, meu amigo? Não o desejo eu, ordena-mo meu pai! Nisto deves, antes de amaldiçoar o meu procedimento, pesar bem o sacrifício que vou fazer! Sabes certamente que não é a ambição e a vaidade que me conduzem, sabes o quanto te amo e o quanto me comprazeria viver contigo e só para ti; mas em semelhantes circunstâncias, nada fazer é fazer tudo. A minha recusa, sobre ser a desonra certa, seria talvez a morte de meu pai!... Quanto a mim... a não me poder ligar contigo, ninguém mais prefiro, tanto me dá de casar com o visconde como com outro qualquer. O que de tudo isto se conclui é que sou a mais desgraçada das mulheres: amo, sou amada; chegam-me os bens para viver e no entanto faltam-me amor e existência. Tu, meu pobre Miguel, sem o saber, vieste dar-me um golpe terrível e me foi difícil habituar à ideia de tua morte, ser-me-á impossível suportar a de tua ausência! Todavia, estou resignada; uma gota de mais ou de menos no vaso de minhas amarguras não prejudica, porque o líquido de há muito transbordou. Sejamos verdadeiramente corajosos, meu amigo, e saibamos ser dignos um do outro pelo sacrifício, soframos juntos... Se soubesses a noite que passei!... Quando ouvi aqui no jardim a mesma música, que embalou os meus primeiros sonhos de mulher e os meus últimos devaneios de criança... aquelas notas eram como o poema da nossa mocidade e do nosso amor. Como éramos então felizes e esperançosos!... Muito chorei, meu amigo, quando me abriste esse livro apagado de recordações e saudades, chorei como não imaginas, e só se me afigurava que aqueles sons errantes eram o teu espírito, baixado do céu para me amaldiçoar. Foi uma noite de pesadelos para mim!... Não dormi... Faltava-me o ar... E tinha medo de abrir a janela... — E debruçando-se sobre Miguel exclamava: — Como sou desgraçada!...

— Peço-te — continuou ela, depois de algum silêncio, com a voz ainda trêmula do choro — que partas; e, se não me podes remediar o mal, que não o agraves... Parte, meu amigo, e evita tornares-me a ver. Para salvar meu pai é preciso sermos mutuamente rigorosos. Sê de todo nobre e generoso; salva a quem te quis perder! Perdoa do alto do teu coração a esse pobre velho, que não tem culpa de ter nascido ambicioso e mau. Ele é o culpado de tudo; é verdade, mas também a ele devo a minha existência e todos os cuidados que tenho recebido; devemos-lhe a felicidade que já gozamos, é justo que suportemos agora o sacrifício que ele nos impõe... Perdoa! Sim? Perdoa, Miguel!...

E Rosalina, meiga, encarava com chorosa ternura o olhar sombrio de Miguel.

O moço ergueu-se com impetuosa feição. Metamorfose assustadora operou-se-lhe na fisionomia: os olhos fechavam-se lentamente e lentamente se abriam; um sorriso de amargurada desconfiança encrespava-lhe os lábios. Debruçou-se brandamente sobre Rosalina e, recolhendo-lhe as mãos frias, disse-lhe com delicadeza:

— É então teu pai o único obstáculo de nossa felicidade?

— É — disse ela.

— Então, adeus! — e beijou-lhe a fronte.

— Que vai fazer?

— Obedecer-te.

— Como?

— Partindo.

— Para onde?

— Não sei.

— Quando?

— Já.

E Miguel saiu tão rápido como houvera entrado.

Rosalina levantou-se, foi até a janela e percebeu ainda o vulto do artista desaparecer por entre a rede de galhos e folhas sombreadas pela noite; encostou-se ao balcão de mármore, olhou para o tempo e disse, fechando a janela e abrindo preguiçosamente a boca:

— Até que enfim!

Depois entrou para a sua alcova, correu o cortinado, mirou-se num espelhinho de mão, desprendeu os cabelos e tocou a campainha, chamando a criada para a despir.

Daí a meia hora, Rosalina, mais encantadora que nunca, adormecia sorrindo para o imenso cristal de Veneza, que com arte refletia o seu corpo esculturalmente formoso, atufando-se nas amplas e alvíssimas cambraias do leito, semelhante a Vênus transformando-se das espumas do oceano.

IX

Depois dessa noite Miguel vivia para uma ideia; fosse qual fosse ela deveria de ser negra e amarga, porque amargo era o seu sorrir e negras as sombras do seu olhar.

Já por várias vezes lhe perguntara o guia se era tempo de regressarem para a ilha; Miguel, porém, desviava a cabeça, como se alguma coisa o prendesse ainda em Nápoles e deixava-se ir ficando. Alguma coisa o prendia de feito: era essa ideia.

Todas as tardes, quando para o Ocidente, o crepúsculo vespertino esfogueava as nuvens mais baixas do horizonte, ele, espantadiço e calado, tomava para as bandas da casa de Maffei e, como um espírito perseguidor e maligno, rondava-lhe o jardim e o quintal, procurando sempre confundir-se com a escuridade movediça das folhagens.

E, mais tarde, quando de todo a noite carbonizava a natureza e com as suas sombras o favorecia, então, mais seguro e confiado, atravessava o foragido as ruas relvosas do jardim e, pisando cauteloso, apalpando sorrateiro as trevas, comprimindo a respiração e procurando minguar o seu vulto, ora desaparecia nas moitas de roseiras, ora nos jasmineiros e caramanchões em flor, para reaparecer aqui e além, como o veado doméstico, que passeia nos quintais do amo, procurando a solidão e o silêncio.

Aí deixava-se passar ignorado as noites. E quando porventura via iluminada a janela de Rosalina, quedava-se horas esquecidas a contemplá- la, extático e embevecido.

Assim sucedeu até o sábado, dia de recepção em casa de Maffei.

Nessa noite o palácio escancarava as suas largas bocas a novos convidados, como insaciável monstro, que não se farta de tragar reputações alheias; devia ser duplamente rica essa festa, porque, sobre ser sábado, era também aniversário do nascimento de Rosalina; circunstância esta de que não se esquecera o deslembrado amante e o fazia aguardar, com impaciência e desassossego, esse faustoso dia.

Efetivamente preparava-se a festa ameaçadora e esplêndida; dobrou-se a orquestra e multiplicou-se o número de garrafas; eminentes artífices incumbiram-se de magnífica iluminação e fogos de artifício, que ocupassem a varanda e a parte principal do jardim; um quiosque, levantado defronte da janela do quarto da festejada, dar-lhe-ia, ao romper da alva, um harmonioso bom-dia.

Chegada a hora, as salas, as varandas, os quartos, o andar inferior, tudo se encheu de gente. Era tudo confusão e bulício; por todos os lados fosforesciam luzinhas de variadíssimas cores; por toda a parte, música e perfumes, flores em profusão, gelados e vinhos, cantos e versos, mimos e ramilhetes, danças e jogos, florões e murtas; enfim, por toda parte e de todas as coisas rebentavam e erveciam alvoroçadamente o prazer, o riso, a loucura e o amor.

Rosalina lá estava resplandecente, como alvo brilhante de todos aqueles faustos e grandezas; via-se cercada de aduladores, que a crivavam de galanteios e lisonjas; e assim festejada, querida, requestada, adulada, tinha-se ela por feliz no meio desse círculo de ferro dourado, que o dinheiro traça incômodo na sociedade.

A festa crescia e redobrava de entusiasmo com o progredir tenebroso da noite; regorjeavam frenéticos os instrumentos; pulsava doido o sangue com o ansiar nervoso da valsa; a embriaguez familiarizara-se e gritava a bel-prazer, rindo a desvergonhada, com a boca aberta e o gesto descomposto.

X

Todavia, enquanto tão ruidosamente crepitava o baile, Miguel, ignorado e só, nos fundos tenebrosos do jardim, espiava afoitamente a turbulência da festa, escondido como um réptil nos grutescos de uma fonte artificial.

Quem de perto lhe pudesse observar a figura, notar-lhe-ia, no olhar desvairado e redondo, uma impaciência feliz, um raio de sinistro contentamento, que lhe iluminava a fisionomia com o mesmo luzir fúnebre da lâmina da guilhotina no rosto do condenado.

Subitamente o escondido endireitou-se, colou cuidadosamente o ouvido à parede e pôs-se a escutar silenciosamente, sentiu passos.

Era alguém que, fugindo à agitação das salas, procurava refugiar-se no jardim e descansar o seu aborrecimento, sozinho e tranquilo nos bancos de pedra, que pitorescamente guarneciam um aprazível chafariz de jaspe.

Miguel viu chegar um vulto e estremeceu reconhecendo-o; os seus olhos reverberaram com mais vermelhidão; os seus lábios semiabertos sussurraram alguns sons confusos e ásperos, enquanto o recém-chegado, satisfeito de si, esfregava as mãos, saboreando o aspecto festivo e luxuoso do edifício; depois, o vulto sentou-se meditativo no banco de pedra e permaneceu algum tempo de cabeça baixa e gesto concentrado.

Profundo devia ser esse meditar que lhe não dava de perceber os passos abafados de Miguel, que, como uma pantera, se encaminhava das sombras da gruta para ele, sem lhe arredar de cima os olhos ardentes e raiados.

O artista, ao chegar às costas do vulto, estacou e entrou consigo a contemplá-lo em atencioso silêncio, indicando, com um movimento afirmativo de cabeça, o bom resultado de suas observações; alguns segundos depois, chegou-se mais dele e de rijo tocou-lhe com a mão no ombro.

O vulto voltou-se súbito e, encarando o rosto transformado do artista, desviava vagarosamente o seu, aterrado pela fixidez sinistra dos olhos cavos e luzentes, que pareciam querer devorá-lo; Miguel inclinou-se para ele a rir-se surdamente, com esse rir que exprime o contentamento da vingança que se vai fartar, o rir do faminto que depois de longa viagem descobre o que comer.

O vulto, segurando-se com a mão fria na pedra ainda mais fria do banco, continuava a retrair-se, como atacado de cólicas horríveis; torpor aviltante corria-lhe pelos membros frouxos e enervados e transpirava-lhe no gesto suarento o medo com todas as suas cores mais vergonhosas.

Contemplavam-se os dois, trêmulos... um de raiva, o outro de medo.

XI

O que tremia de medo era Maffei.

O conforto da riqueza e o roçar áspero dos anos puíram-lhe o vigor primitivo; o remorso, também colaborando nessa obra de destruição, acabara por extinguir-lhe a força moral, que dantes lhe luzia feroz no olhar. Sentia-se apequenado em presença de Miguel a quem tinha por morto.

O vulto transformado da sua vítima, que já em sonhos o houvera perseguido, aparecia-lhe agora, real, palpável, como se fora a própria imagem do remorso; afigurava-se-lhe Miguel salvo naquele instante, saindo do mar; parecia-lhe até ver a umidade do cabelo e sentir-lhe o cheiro do sangue.

O olhar fixo e desvairado do moço refletia-se-lhe na consciência, como uma luz condenatória e daí persistia a fitá-lo, queimando-lhe por dentro os ossos do cérebro; o sorrir cadavérico de Miguel derramava-se como um filtro de ironias pelos membros lassos do velho e o fazia estremecer; era um sorrir trágico de caveira a fitá-lo com os dentes ameaçadores e ferozes.

A imobilidade do moço impunha ao outro a mesma imobilidade, e no entanto a arrogância daquele não incutia neste o mesmo sentimento; Maffei, ao contrário, cada vez mais se desapercebia de ânimo e forças.

Enquanto isto sucedia no jardim, o baile continuava a folgar indiferente.

Miguel, afinal, chegando à cara pálida de Maffei a boca arreganhada, rebentou medonha e cavernosamente:

— Velho amaldiçoado! Mau! Ambicioso! És o único obstáculo de minha ventura! És a minha asa negra! O meu pesadelo! A minha raiva! A minha desgraça! O meu ódio! O meu mal! O meu crime! Queres, bruto, regenerar-te? Queres por uma vez abaixar este braço, que a tua maldade levantou sobre a tua cabeça, velho estúpido?! Dá-me a mão de tua filha. Já! Peço-ta de joelhos, cão! Responde!... Queres?!...

Maffei estremeceu como se fora acordado de um sonho mau por uma chuva de pedras. As palavras de Miguel despertaram-no, chamando-lhe o sangue à cabeça com o efeito de uma aluvião desencontrada de bofetadas, voltou a si e fez um movimento para erguer-se.

— Responde! — gritou asperamente Miguel, descarregando-lhe com força nos ombros os punhos impacientes e nervosos. — Responde! — E o obrigou a ficar sentado. — Responde!

— Nunca! — atroou energicamente Maffei e ergueu-se de ímpeto!

Miguel, porém, em meio da resposta, rápido abarcara-lhe o pescoço, encravando-lhe pelas carnes as unhas doidas e assanhadas. Um ronco surdo e gutural fundiu-se confusamente na turbulência aguardentada do baile.

E o moço não desgarrava da vítima as unhas envenenadas pela cólera velha e sedenta de vingança, continuava a asfixiá-la.

Como uma lagarta no fogo o velho torcia-se, esforçando-se por gritar e erguer-se. Embalde! Miguel lograra pôr-lhe um joelho de bronze sobre o esôfago e, empregando com bruteza toda força do corpo, oprimia-o contra a pedra do banco.

Roxidão apoplética cobriu a cara e as unhas do pai de Rosalina; um suor abundante e úmido escorria-lhe da cabeça, inundando as mãos frenéticas do assassino.

E o roncar moribundo e bestial do velho, mal casado com o ranger dos dentes do moço, contrastava com a turbulência folgazã e sensual da dança, da embriaguez e do jogo, que além fermentavam nos salões do baile, como fermentam as larvas numa podridão.

Miguel, no fim de algum tempo, desgarrou saciado a presa e o cadáver do antigo pescador caiu-lhe pesado e retorcido aos pés, gosmando pelas ventas e por entre os dentes um muco grosso e esbranquiçado.

O moço contemplava-o sorrindo, a limpar tranquilamente as mãos úmidas e pegajosas nas fraldas da sua blusa. Depois, abaixou-se e fitou satisfeito o corpo de Maffei, observando minuciosamente se estava bem morto, mexia-lhe com as pálpebras, passava-lhe os dedos no vítreo ensanguentado dos olhos e esbugalhava-os mais, puxava-lhe as barbas empastadas de gosma, mexia-lhe com a língua e afinal bem certo que estava morto escarrou-lhe com desprezo à cara e em seguida ergueu-se, empurrando-o desdenhosamente com o pé.

Isto feito, fugiu.

Ao chegar à rua, parou, tomou com ambas as mãos o peito e respirou livremente o ar da noite, como quem se livrasse de um peso horrível.

— Finalmente! — disse ele e correu à tasca.

Sombra da Noite dormia. Acordou-o.

— Partamos — disse ele.

— Para onde?

— Para qualquer parte!

E desapareceram.

XII

O baile continuava indiferente e animado.

A ausência de Maffei não se fizera sentir e só algum curioso observador dizia distraidamente:

— Oh! Maffei está hoje mais do que nunca concentrado!... Não há quem o veja!...

E disto não passava.

Somente no dia seguinte, pela manhã, é que o jardineiro, todo banhado em lágrimas, participara ter encontrado no jardim o cadáver do querido amo.

Houve grande alvoroto na casa e, tanto esta como a família do morto, se cobriram de luto. No dia seguinte, os jornais de Nápoles notíciavam ter sucumbido o muito honesto e muito nobre proprietário da Rua de Toledo, fulano de tal Maffei, vítima de uma congestão cerebral, que o acometera na véspera. Enterrado o cadáver não se falou mais em tal. Rosalina tratou de suspender, por algum tempo, os bailes e de substituir os teatros e passeios pelas palestras nos serões.

Daí nasceu um murmurar contra ela e o cavalheiro de bigodes pretos, se com ou sem razão, não sei; o que posso dizer e até afiançar é que, por várias vezes, houve quem o visse sair pela madrugada do andar inferior da casa cinzenta da Rua de Toledo. Calúnias, talvez inveja, com certeza!

Com o correr dos dias foi o luto perdendo pouco a pouco a cor carregada, de sorte que no fim de um ano desaparecera inteiramente e com ele cansou a dor de doer e os olhos cansaram de fingir. E voltara a alegria, como volta a primavera, matizando de flores e risos os corações e os lábios.

Como um noivo passivo, o nobre Visconde de Cenis gastava todos os serões em companhia da rica herdeira, e exteriormente já se tinha como coisa resolvida o casamento dele com Rosalina.

Em breve a filha do pescador seria a *excelentíssima senhora viscondessa de Cenis* e o visconde seria o herdeiro legítimo dos bens do falecido Maffei.

Qual das duas partes faria melhor aquisição? Uma levava uns restos de homem e o título de visconde e a outra um dote avultado e uma mulher prostituída. Estas ruindades fundidas deveriam dar um resultado satisfatório para ambos e talvez para a sociedade, que, em vendo dinheiro, faz como as crianças: fecha os olhos e abre a boca.

Entanto, quando o visconde se retirava da sala de honra, abria a noiva a porta privada da alcova para o outro que, se em verdade não era tão nobremente visconde, tinha, em compensação, um bom par de bigodes pretos, que valiam por um brasão.

Afora estes, roda imensa de adoradores incensava infrutiferamente, noite e dia, a formosa e rica órfã, mas embalde procurava ela, nos cantos empoeirados do seu coração, alguns restos de respeito e amizade séria para aquela gente que, a despeito da sua boa vontade, só lhe aparecia pelo prisma do interesse e da especulação. No fim de contas tão embotadamente desgraçados eram os adoradores, como o objeto da adoração, que se aqueles amavam por cobiça, este o não podia fazer por desconfiança, e infeliz, muito infeliz da mulher que não ama —, o amor é o caminho da maternidade.

O próprio moço dos bigodes não passava para Rosalina de uma fantasia de igual criminalidade de outros muitos, que, com a mesma amorosa indiferença, entrelinha a desregrada rapariga; e tanto assim era que, sendo por ele pedida em matrimônio, recusara-se, dizendo cinicamente que o casamento era a única parte ascendente de sua vida por onde poderia trepar em algum tempo à nobreza, e por isso não a barateava assim tão facilmente.

O dos bigodes, cujo empenho único era enriquecer, vendo malogrado em Nápoles os seus planos de abastecimento, deu-se de velas para Milão, sua pátria, em busca de nova fortuna, depois de ter chamado a amante de ingrata e perjura.

Rosalina riu-se da saída aparentemente romanesca do cavalheiro dos bigodes e insensivelmente o substituiu por outro.

O visconde em ruínas, esse, coitado! É que não desistia, nem era preterido; barreira firme, rochedo inalterável, recebia impassível e com verdadeira coragem, digna da nobreza de sua ilustre raça, os embates tempestuosos daquele pélago de lama. Coitado! A desonra lhe seja leve!...

E neste estado deplorável de coisas decorria o tempo, sem outro fato de notar, além do que se vai seguir.

XIII

Ia uma dessas noites quentes de verão, em que a natureza parece adormecida aos beijos ardentes do sol; em que as águas dos lagos são mornas como a brisa, que acaricia os píncaros abrasados das montanhas, e a lua se ergue vermelha, como uma chaga viva.

Uma dessas formosas noites napolitanas, em que tudo se converte em volúpia e cansaço, em que se derretem os corações e volatilizam-se os beijos para vagarem pelo espaço, como um bando de mariposas sensuais.

Noite de sonhos ardentes e dores indefinidas! Noite feliz para o mancebo e perigosa para a donzela!... As mulheres estremecem ao tato dos amantes e as criancinhas torcem-se no berço, acometidas de precoce irritabilidade; o olhar transforma-se em boca que beija; o hálito em palavra que excita; a palavra em corpo que morde, afaga, queima e estreita.

Abraçam-se nos montes os pinheiros e os ciprestes nos cemitérios; entrelaçam-se as flores no campo; amam-se feras nos covis; nos ares os passarinhos e os reptis no charco.

A natureza toda transforma-se numa mulher de trinta anos, de carnes brancas e palpitantes, sofre nessa noite da nevrose, tem ataques histéricos, estrebucha, grita, contorce-se e solta, de vez em quando, suspiros prolongados e gemidos volutuosos.

E quando, pela volta da madrugada, à brisa fresca e cor-de-rosa da manhã, adormecem os membros frouxos e fatigados dos amantes, levanta-se da terra um murmúrio suave e trêmulo para o céu: é a música dos beijos!

XIV

A alcova de Rosalina rescendia a amor. O amor tem o seu perfume especial que se aspira pelo coração; esse perfume, à semelhança dos do Oriente, quando não mata, embriaga, mas sempre encanta.

A bela italiana, perseguida pelo calor da noite, refugiara-se sozinha no seu ninho, como a lebre que foge ao caçador, e arremessando negligentemente as roupas para o chão, envolvera-se nas cambraias do leito, rolando de um para outro lado, como uma serpente no cio.

Extenuada, caíra a moça nessa prostração mofina que precede o sono, e só de vez em quando dava acordo de si para refrigerar-se com um gole de orchata, que à cabeceira do leito estava preparada num copo de cristal. Isto feito, recaía no mesmo entorpecimento, com as pálpebras pesadas e os olhos descerrados pelo calor; mais parecia uma bela produção artística do que uma realidade. Quando quieta, difícil seria de dizer o que mais era, se uma estátua animada, se uma mulher de mármore.

Súbito, assomou na janela uma cabeça, depois um busto, e finalmente um homem, vestido de blusa, pulou na sala com a ligeireza de um gato.

O barulho fez Rosalina voltar-se e soltar um grito que queria dizer:

— Miguel!...

O recém-chegado parou, levando aos lábios o dedo em sinal de silêncio; ela respondeu a esse sinal com um outro que o intimava a aproximar-se.

O artista obedeceu, encaminhando-se sombriamente para o leito.

— És livre agora?!... — disse-lhe, caindo de joelhos aos pés.

A moça não respondeu e sorriu.

— Fala, meu anjo!... não percamos tempo, dize-me se és já livre ou se...

— Ouve! — interrompeu Rosalina, fingindo dificuldade no falar. — Ouve. Desde que morreu meu pai, uma fraqueza doentia me tem de tal modo perseguido, que me suponho irremediavelmente perdida; posso dizer que tenho vivido neste leito, donde não conto levantar-me com vida.

— Uma viagem te restabelecerá totalmente — disse Miguel inquieto.

— Ah! — suspirou Rosalina. — Uma viagem!... É porque não sabes, meu bom amigo, que, com a morte de meu pai, ficamos na extrema miséria; que ele, coitado! passou uma vida de opulência, superior ao que possuía, e morreu de tal modo endividado, que não nos será fácil a nós salvar honradamente seu nome, e a mim continuar a viver sem a difamante proteção de algum estranho! Bem fiz por salvar a situação, e confesso que me supunha mais forte e generosa, de que realmente sou!

E Rosalina começou a tossir, oprimindo o peito com as mãos.

— E eu — continuou a suposta doente, com a voz cada vez mais trêmula — fazia-me forte, aceitando a proposta salvadora e tremenda de um velho rico e doente, que se propunha resgatar o nome de meu pai, casando-se comigo. Era um futuro triste, porém honesto. Cedi, Miguel, cheia de esperança e resignação, porém depois de medir bem o sacrifício não tive ânimo para arrostá-lo. Urgia contudo tomar uma deliberação qualquer; o tempo passava e o dia do leilão da casa e dos móveis não tarda a anunciar- se. O momento fatal chegou!... Amanhã tenho de entregar tudo, tudo! E serei...

— Então! — interrompeu Miguel, em cujo olhar acabava de nascer o contentamento e a esperança — havias te esquecido de mim? Ingrata! Não te quis ao menos parecer que a tua riqueza era um obstáculo sério à minha ventura! Oh! Como sou feliz em ver-te novamente pobre! Iremos juntos para Lípari, onde serás minha esposa, e então seremos felizes, muito felizes! Quanto é bom ser pobre! Olha! — disse ele chegando-se carinhosamente para ela e sorrindo, com os modos satisfeitos, de quem se preza de saber arranjar bem as coisas. — Vendido tudo por cá, todas estas grandezas e todo este luxo, em pouco poderá ficar a dívida; por esse tempo já estarás em Lípari, caso-me contigo e serei legalmente o único devedor do que não se puder pagar com o resultado da venda; e daí, com o meu trabalho e principalmente com a minha vontade, crê, conseguiremos ir pouco a pouco resgatando o nome de teu pai. Oh! Como seremos felizes!... Mas como te houveste tão injusta em não te lembrares de mim!... Em Lípari levantaremos novamente uma casa, sob as oliveiras que te viram nascer, minha Rosalina, e sozinhos, ao som das brisas que te embalaram em pequenina, e do mar que te ama ainda, e dos cantos dos passarinhos que voltarão ao nosso teto hospitaleiro, viveremos em companhia da boa Ângela, que te estremece como mãe. Sabes mais!... Castor ainda vive!... — disse o moço satisfeitíssimo, batendo palmas — Ainda vive! Achei-o na noite do incêndio e conservo-o comigo; é um bom e generoso companheiro! Oh! Ele também virá porque, não sabes? Foi ele que primeiro descobriu pelo faro que tu moravas aqui. Coitado! Como te cobrirá de festas quando te vir! Oh! Mas é preciso que te decidas a partir! Vamos! Não é assim? Dize!... Estás pobre?... Tanto melhor! Ninguém se lembrará de te perseguir!... Partamos, meu amor!

E Miguel, satisfeito como uma criança, beijava as mãos, os pés, o cabelo e a fronte de Rosalina. Parecia louco.

Ela o observava com um sorriso de afetada desesperança, que mascarava enorme surpresa; parecia-lhe aquilo um sonho; nunca esperara tanto do amor de Miguel; sentia-se conscienciosamente arrependida de se ter fingido pobre, antes falasse com franqueza, porque a situação perigava progressivamente.

— Diabo! — dizia consigo. — Ele me adora apesar de tudo! Que volta darei a esta cena tão difícil e ridícula?

E assim pensando, fingia fadar-se em contemplar silenciosa o amante, enquanto meditava astuciosamente outro meio mais seguro de fugir-lhe; porém fundo e estranho ressentimento principiava a minguar-lhe o ânimo, em presença daquela vontade de ferro, daquela firmeza de afeto, daquele amor indelével que tudo cometia indiferente, contanto que o deixassem existir pela mulher, que o próprio coração escolheu para ídolo.

Neste estado e maquinando ainda uma engenhosa saída, fitou Rosalina os olhos abrasados e felizes de Miguel, e, apartando deles os próprios, passeava-os, aparentemente enfraquecidos, pelo quarto, à procura da ideia; quando o acaso deparou-lhe o copo de orchata, sobre o velador à cabeceira do leito.

— Ah! — fez ela.

— Que tens!... — acudiu Miguel.

— Nada, meu amigo, sinto-me mal...

— Tudo isso — volveu Miguel, beijando-lhe as mãos — desaparecerá com a nossa futura felicidade! Reanima-te e ordena o que queres que te faça! Aqui tens um escravo! Vamos, meu amor... Fala! Como se eu fosse teu pai, minha filhinha!

— Já não tenho vontade nem desejos...meu bom amigo — respondeu ela, retorcendo os olhos — porque não posso contar com a existência...

— Rosalina!... — disse Miguel — Não te deixes levar por essas ideias tão más!... Confia em mim e espera de Deus! Não desanimes, que tens muita vida e a nossa ilha tem muitas flores que te esperam... Havemos de correr juntos pela primavera os caminhos sombreados e ervecidos; subiremos de mãos dadas as encostas dos montes e os píncaros dos rochedos; havemos de...

Rosalina parecia já não escutar; torcia-se na cama, a ranger os dentes uns contra os outros, e retorcendo os olhos derivava olhares desencontrados.

— Rosalina! Rosalina!... Que tens!... Meu Deus! Acudam! — exclamava Miguel.

— Silêncio! — disse ela, tapando-lhe brandamente a boca com os dedos cor-de-rosa. — Não faças bulha e ouve, que é necessário falar. Ainda há pouco me vedaste concluir o que te contava; ouve o resto. Dizia-te eu, que era necessário abraçar qualquer partido, porque o tempo urgia e o dia da entrega se aproximava... Pois bem, meu bom Miguel, não tive ânimo de me resolver a casar com o velho rico e...

— E... — disse Miguel trêmulo de impaciência.

— Chegou a véspera do dia maldito!... Amanhã os credores tomam conta de tudo!...

— Não importa!

— Mas é... — acrescentou chorando Rosalina — que eu não resisti a tamanha provação! Fui covarde!... Confesso! Mas eu sou mulher, perdoa!...

— Acaba!...

— Vês este copo? — continuou ela, torcendo-se toda e indicando a cabeceira do leito.

— Céus!...

— Ainda há pouco estava cheio de... veneno... eu... — E reclinando-se nos braços de Miguel acrescentava, espatifando as palavras: — Não tenho, Miguel, de vida... mais do que alguns... instantes...

Miguel quis levantar-se para chamar alguém.

— Não chames pessoa alguma!... — disse ela agarrando-o com força. — Isso só alcançaria fazer-me morrer desacreditada. Foi Deus que te mandou para me ajudares a morrer! Foi um bom anjo que te conduziu! Eu já contava contigo! Oh! Não morria sem tu chegares! Como Deus é bom! Obedece-o e depois... retira-te...

Miguel forcejava contudo por erguer-se, mas desfaleciam-lhe as forças; vertigem doida acometeu-lhe de pronto a cabeça. Quis gritar, a língua apegara-se-lhe; quis soluçar, o pranto enovelou-se na garganta ofegante, trêmulo, com os olhos injetados de sangue, ria-se nervosamente e chorava ao mesmo tempo; as pernas negavam-lhe já o apoio, cambaleou; tentou ainda uma vez erguer-se, as pernas vergaram-se de todo e ele caiu no regaço de Rosalina; queimava o olhar, fumegava o hálito! A sua respiração era um soprar doido de labaredas!

— Não chames por ninguém! — disse-lhe ela com dificuldade, e carinhosamente o tomou entre os braços; depois, inclinando frouxamente a cabeça para trás, fechou devagarinho as pálpebras e murmurou sons inarticulados e trêmulos.

— Rosalina! Rosalina! — vozeava o moço arrastando a língua entre soluços.

Rosalina pendeu de todo a cabeça para trás, deixou cair sem ação o braço fora do leito; e um suspiro doloroso partiu--lhe dos lábios. Ficou extática.

Miguel tinha a cabeça no colo da desfalecida e permanecia imóvel como ela; lembrando ambos tão unidos, tão modos e tão pálidos, Pigmalião e sua amante de mármore.

Assim decorreu uma hora de pedra: fria, pesada e estúpida.

....

Rosalina, por fim, impacientou-se e, sorrateiramente levantando a cabeça e desembaraçando-se dos abundantes cabelos pretos, disse quase imperceptivelmente:

— Miguel... não partes?...

Miguel não respondeu.

— Não partes? — repetiu Rosalina, levantando um pouco mais a voz.

Ainda o mesmo silêncio.

Então, como a noiva, que vai, entre desejosa e envergonhada, provocar novas carícias do amante, ergueu ela com as mãos diáfanas a cabeça mole que lhe repousava no colo e encarou-a.

Grito de terror e remorso rompeu-lhe inteiriço das entranhas.

Miguel estava morto. Então, uma lágrima cristalina e santa, desprendendo-se do coração, rolou pura pelas faces da mulher. Chorou pela primeira vez!

Aquela lágrima valia o poema inteiro da sua existência! Era o transunto do seu arrependimento! Era o perdão dos seus crimes! Chorou! Chorou uma lágrima de mulher, e por isso que vinha de Deus!

Rosalina amou pela primeira vez — aquele cadáver.

Apêndice

Glossário

Ábaco – parte superior de uma coluna.
Acarretar – transportar por algum meio; encaminhar para outro lugar.
Ágata – nome dado a tipo de ferro esmaltado ou peça ornamentada de quartzo.
Alcantilado – o que apresenta forma íngreme, de altura elevada.
Alcatroado – revestido de matéria feita de carvão vegetal, como o desinfetante ou fármacos.
Alfombra – tipo de tapete colorido ou com ornamentos.
Algibeira – compartimento integrado à vestimenta.
Alvoroto – mesmo que alvoroço.
Anelo – aspiração; o que se deseja com intensidade.
Apoplética – relativo à apoplexia; exaltado; furioso.
Apostrofar – afrontar; interpelar alguém.
Archote – tipo de tocha ou haste para iluminação.
Avultar – mesmo que aumentar; intensificar; elevar.
Bacanal – orgia ou designa, também, pessoa voluptuosa.
Barregã – mulher que vive com um homem, mas não é oficialmente casada; concubina.
Brunida – polida; que se deu lustre.
Bufete – tipo de móvel que fica na sala de jantar.
Bulício – mesmo que desordem; inquietação.
Casquilho – pessoa enfeitada ou muito arrumada.
Chispa – designa faísca; mas também se diz de pessoa talentosa.
Choupo – espécie de árvore de grande porte, usado para ornamento.
Ciciar – murmurejar; fazer pequeno ruído.
Cimalha – nome dado à moldura na parte superior de um edifício; ou moldura das partes internas.
Cornucópia – nome dado ao que é fonte de riqueza, essa derivação provém de um vaso mitológico composto de chifre

com flores, que recebe esse nome, porque representa a fertilidade e a riqueza.
Debuxar – delinear; representar-se de uma maneira; esboçar.
Dolo – sinônimo de engano; fraude.
Ébrio – mesmo que bêbado; alucinado.
Emalar – guardar; colocar em malas.
Embalde – em vão; de forma inútil.
Encapelada – muito agitado; acumulado.
Enxárcia – designa conjunto de cabos de um navio ou barco.
Espevitar – puxar o pavio; atiçar; avivar.
Espicha – vara de madeira colocada na vela do barco; também designa peixe pequeno.
Espichar – mesmo que alongar; crescer.
Excogitar – imaginar; examinar; meditar.
Exprobrar – criticar; censurar algo ou alguém.
Falerno – tipo de vinho produzido na região italiana chamada Falerno.
Falsete – timbre de voz fina; registro vocal agudo.
Folgança – o ato de folgar; ócio; festa.
Hirto – o que não tem flexibilidade; duro.
Intestina – o que é interno; diz-se, também, o que é civil; nacional.
Iracunda – ação de mostrar ira; fúria.
Iriado – o que contém as cores do arco-íris; brilhante.
Jaspe – pedra dura, colorida e ornamental.
Lagar – local comum no século XIX, onde os frutos eram amassados para separar o líquido do sólido.
Lânguido – aquilo que é frouxo ou voluptuoso.
Lava – grande quantidade; intensidade de emoções; calor.
Lobrigar – ação de entrever; avistar; entender algo.
Louçã – mulher gentil; elegante.
Maçada – designa um golpe desferido a alguém; diz-se, também, de conversa cansativa ou situação embaraçosa.
Mofina – situação ruim; infortúnio; infeliz.
Nimiamente – o que está em exagero; demasiadamente.
Orchata – tipo de bebida refrescante, com fruta.
Ornato – mesmo que ornamentação.
Pascia – pastorear; pastar.

Pasmar – ficar assombrado; surpreso.
Peanha – pedestal onde se coloca imagem; busto de santo; pequeno banco de apoio para os pés.
Pecúlio – reserva de finanças; patrimônio.
Pélago – abismo; alto-mar.
Pêndula – designação para relógio de pêndulo.
Penedia – local cheio de rochedos.
Penhorado – o que teve penhor; pessoa agradecida.
Pojar – descer da embarcação; designa, também; ação de inchar.
Portaló – local de navio, onde há a entrada.
Postigo – pequena porta; portinhola; pequena janela.
Preceptor – o instrutor; mentor de uma criança.
Púcaro – nome dado a um pequeno recipiente usado para colocar líquidos.
Pundonor – mesmo que amor-próprio; recato.
Rabeca – instrumento musical de corda.
Resmonear – sinônimo de resmungar; falar com rabugice.
Séquito – cortejo; acompanhamento.
Sorrelfa – pessoa mesquinha; dissimulação, sonsice.
Tísico – aquele que sofre de tuberculose.
Transunto – cópia; retrato fiel.
Voluptuosamente – que tem volúpia ou prazer; sensual.

Contextualização da obra

O Romantismo de Aluísio Azevedo

Cristina Garófalo Porini*

Aluísio Azevedo foi, ainda no século XIX, uma das raras figuras que conseguiu manter-se com a renda gerada a partir da venda de seus escritos. Para tanto, ele tinha em mente, de forma bastante nítida, a diferença entre os romances "comerciais" e os de tese — aqueles que, a partir da publicação de *O mulato* (1881), consagrariam o autor não apenas como expoente do movimento realista-naturalista, mas também como introdutor de tal estilo literário no Brasil.

Uma vez que os romances de tese dependiam da observação e do estudo analítico da sociedade a qual o autor buscava retratar, era necessário um aporte financeiro para manter o artista durante o período de levantamento de dados — conta-se inclusive que, para elaborar *O cortiço* (1890), Aluísio Azevedo empregou aproximadamente dois anos de intensos trabalhos. Assim, pode-se reconhecer de modo bastante simples a intenção do autor ao escrever *Uma lágrima de mulher:* era a forma mais simples de angariar fundos a fim de se manter e escrever os romances pelos quais realmente se interessava.

Publicado em 1879, *Uma lágrima de mulher* atendia ao gosto do leitor ao final do século XIX: o enredo apresenta elementos típicos ao Romantismo — um casal de jovens italianos é separado pelo ambicioso pai da garota. O sofredor

* Graduada em Letras pela Universidade de São Paulo (USP) e em Relações Públicas pela Faculdade de Comunicação Social Cásper Líbero. É professora de Língua Portuguesa, Literatura e Redação no ensino médio e em cursos pré-vestibulares.

Miguel, um músico órfão, não é benquisto pelo pai de Ângela; este, Sr. Maffei, preocupa-se com a escalada social: a fortuna que ele conseguiu formar não lhe garante respeito perante a sociedade napolitana, e a única saída é promover um casamento entre sua filha e um nobre falido. O sofrimento de Miguel, dado como morto, estende-se por anos, até que ele tem notícias de Ângela e viaja até Nápoles, disposto a tomar qualquer atitude em busca de sua amada...

A trama romântica — envolvendo sofrimento, desencontros e morte — atendia também à estrutura folhetinesca. São comuns capítulos encerrados no ápice de um conflito, a ser resolvido apenas no seguinte; também são comuns as referências ao cenário, à natureza, tão ao gosto da arte romântica: o domingo ensolarado reflete o início do romance do casal protagonista, assim como a tempestade em uma noite de intenso inverno é pano de fundo do embate entre o jovem apaixonado e o ganancioso pai de Ângela.

Uma vez que a vertente naturalista de Aluísio Azevedo ainda hoje é mais popular, deparar-se com Miguel e seu drama em nome do amor demonstra a capacidade criativa do autor desde sua primeira obra. Bastante inventivo, surpreendeu também o leitor do século XIX, uma vez que a protagonista, Ângela, apresenta-se como uma personagem realista: nela é nitidamente visível a influência exercida pelo Determinismo de meio — sem livre-arbítrio, o homem torna-se marionete do meio em que vive, e Ângela, da sociedade à qual seu pai espera pertencer. Esse é apenas um dos trechos do enredo em que Azevedo aborda as técnicas que tão bem aprendeu com escritores realista-naturalistas europeus, como Eça de Queirós e Émile Zola; tal opção do autor faz de *Uma lágrima de mulher* um romance romântico com traços realista-naturalistas.

Sobre Aluísio Azevedo

Nascido em 14 de abril de 1857, Aluísio Tancredo Gonçalves de Azevedo era o segundo filho de um vice-cônsul português e de Dona Emília Amália Pinto de Magalhães; uma vez que Dona Emília havia sido casada anteriormente, não é difícil perceber que, para a sociedade do século XIX, tal relacionamento foi considerado uma indecência. Vale acrescentar que o primogênito do casal também se tornaria um artista de renome no Brasil: o dramaturgo Arthur de Azevedo.

Desde criança, Aluísio Azevedo apresentou grande facilidade em caracterizar personagens: inicialmente, dedicou-se ao desenho e à pintura; seus biógrafos indicam tais dotes como essenciais para a literatura que viria a escrever, com as descrições da galeria de seus personagens, como Rita Baiana (*O cortiço*) e os tantos tipos sociais de *O mulato*, por exemplo.

Seguindo os passos do irmão, mudou-se para o Rio de Janeiro aos dezenove anos. O jovem Azevedo estudou na Imperial Academia de Belas Artes, e a arte já o auxiliava financeiramente: suas caricaturas eram publicadas nos jornais cariocas. Dois anos mais tarde, retornou a São Luís do Maranhão, devido ao falecimento de seu pai; esse foi o principal motivo de iniciar a carreira literária. No ano seguinte, 1879, lançou *Uma lágrima de mulher*, sua vertente romântica; em seguida, lançou um jornal anticlerical, *O pensador*.

Em 1881, o autor entrou definitivamente para o rol dos grandes literatas brasileiros: *O mulato* foi considerado um escândalo sem precedentes em São Luís do Maranhão — a descrição da cidade foi feita de tal forma que os críticos locais aconselharam-no a abandonar a atividade. Apesar disso, é o marco do início do Realismo-Naturalismo no Brasil. A decisão de Azevedo foi mudar de cidade: retornou ao Rio de Janeiro, onde *O mulato* fez sucesso. A cidade tornou-se, então, material de estudo para o artista, vasculhando detalhadamente a sociedade, a degradação pela qual passavam as classes sociais mais baixas, redigindo obras que ficaram consagradas até os dias atuais, como *Casa de pensão* (1884) e *O cortiço* (1890). Esse foi um momento bastante profícuo do autor, escrevendo uma série de contos, crônicas e peças teatrais.

Em 1895, Aluísio tornou-se diplomata — atividade que o afastou, definitivamente, da literatura — apesar de, em

1897, ser um dos fundadores da Academia Brasileira de Letras. Prestou serviços na Espanha, no Japão, na Argentina, na Inglaterra, na Itália e no Paraguai. Retornou à Argentina, como primeiro cônsul, onde faleceu aos cinquenta e seis anos.

Questionário*

1. Logo no primeiro capítulo da primeira parte, a casa branca dos Maffei, situada ao alto de uma montanha em Lípari, é descrita, assim como as pessoas que ali vivem. Como Rosalina Maffei é descrita? Essa descrição tem alguma importância maior para a obra, como um todo? Por quê?

2. No sexto capítulo da primeira parte, um encontro familiar é descrito. Relacione-o com o contexto social do final do século XIX.

3. Ao reler o capítulo sete da primeira parte, é possível reconhecer trechos característicos do Realismo-Naturalismo. Destaque um deles, relacionando tal presença com a obra em geral.

4. No capítulo dez da primeira parte, Maffei procura demonstrar à filha as vantagens da mudança para a capital; Rosalina afirma, porém, que "não há felicidade, por mais completa, que se não ressinta de uma mancha ao menos!". A que mancha a protagonista se refere?

5. Releia o capítulo dois da segunda parte. Nele, o narrador emprega um recurso bastante comum no romance: ele prenuncia o que acontecerá. Em relação a Maffei, o que o narrador prenunciou?

---

* Sugere-se ao professor, ao utilizar alguma das questões em atividades, que trechos mais específicos do enredo sejam indicados aos alunos, a fim de lhes orientar a resolução dos exercícios.

Professores podem obter o gabarito das questões desta seção, entrando em contato com o nosso departamento editorial.

6. Em que medida o capítulo cinco da segunda parte do livro utiliza uma descrição considerada uma tópica romântica e a contraria?

7. A partir do capítulo sete da segunda parte do livro, a narrativa volta-se a Miguel. Qual é a intenção do narrador ao usar essa estratégia?

8. A partir da terceira parte, o narrador aproxima-se do Realismo-Naturalismo, ao usar um expediente próprio do Determinismo. O que é o Determinismo? Como ele se faz presente, por exemplo, no capítulo um?

9. Novamente no capítulo três da terceira parte, o narrador emprega uma tradicional metáfora relacionada ao tempo: quando Miguel embarca rumo a Nápoles com ajuda de Sombra da Noite, o vento é favorável. Esta é mais uma previsão do narrador?

10. Comente o comportamento de Rosalina no último capítulo, considerando os modelos de protagonista romântica e realista-naturalista, relacionando-o ao título do livro.

Relação dos Volumes Publicados

1. Dom Casmurro
Machado de Assis
2. O Príncipe
Maquiavel
3. Mensagem
Fernando Pessoa
4. O Lobo do Mar
Jack London
5. A Arte da Prudência
Baltasar Gracián
6. Iracema / Cinco Minutos
José de Alencar
7. Inocência
Visconde de Taunay
8. A Mulher de 30 Anos
Honoré de Balzac
9. A Moreninha
Joaquim Manuel de Macedo
10. A Escrava Isaura
Bernardo Guimarães
11. As Viagens - "Il Milione"
Marco Polo
12. O Retrato de Dorian Gray
Oscar Wilde
13. A Volta ao Mundo em 80 Dias
Júlio Verne
14. A Carne
Júlio Ribeiro
15. Amor de Perdição
Camilo Castelo Branco
16. Sonetos
Luís de Camões
17. O Guarani
José de Alencar
18. Memórias Póstumas de Brás Cubas
Machado de Assis
19. Lira dos Vinte Anos
Álvares de Azevedo
20. Apologia de Sócrates / Banquete
Platão
21. A Metamorfose/Um Artista da Fome/Carta ao Pai
Franz Kafka
22. Assim Falou Zaratustra
Friedrich Nietzsche
23. Triste Fim de Policarpo Quaresma
Lima Barreto
24. A Ilustre Casa de Ramires
Eça de Queirós
25. Memórias de um Sargento de Milícias
Manuel Antônio de Almeida
26. Robinson Crusoé
Daniel Defoe
27. Espumas Flutuantes
Castro Alves
28. O Ateneu
Raul Pompeia
29. O Noviço / O Juiz de Paz da Roça / Quem Casa Quer Casa
Martins Pena
30. A Relíquia
Eça de Queirós
31. O Jogador
Dostoiévski
32. Histórias Extraordinárias
Edgar Allan Poe
33. Os Lusíadas
Luís de Camões
34. As Aventuras de Tom Sawyer
Mark Twain
35. Bola de Sebo e Outros Contos
Guy de Maupassant
36. A República
Platão
37. Elogio da Loucura
Erasmo de Rotterdam
38. Caninos Brancos
Jack London
39. Hamlet
William Shakespeare
40. A Utopia
Thomas More
41. O Processo
Franz Kafka
42. O Médico e o Monstro
Robert Louis Stevenson
43. Ecce Homo
Friedrich Nietzsche
44. O Manifesto do Partido Comunista
Marx e Engels
45. Discurso do Método / Regras para a Direção do Espírito
René Descartes
46. Do Contrato Social
Jean-Jacques Rousseau
47. A Luta pelo Direito
Rudolf von Ihering
48. Dos Delitos e das Penas
Cesare Beccaria
49. A Ética Protestante e o Espírito do Capitalismo
Max Weber
50. O Anticristo
Friedrich Nietzsche
51. Os Sofrimentos do Jovem Werther
Goethe
52. As Flores do Mal
Charles Baudelaire
53. Ética a Nicômaco
Aristóteles
54. A Arte da Guerra
Sun Tzu
55. Imitação de Cristo
Tomás de Kempis
56. Cândido ou o Otimismo
Voltaire
57. Rei Lear
William Shakespeare
58. Frankenstein
Mary Shelley
59. Quincas Borba
Machado de Assis
60. Fedro
Platão
61. Política
Aristóteles
62. A Viuvinha / Encarnação
José de Alencar
63. As Regras do Método Sociológico
Émile Durkheim
64. O Cão dos Baskervilles
Sir Arthur Conan Doyle
65. Contos Escolhidos
Machado de Assis
66. Da Morte / Metafísica doAmor / Do Sofrimento do Mundo
Arthur Schopenhauer
67. As Minas do Rei Salomão
Henry Rider Haggard
68. Manuscritos Econômico-Filosóficos
Karl Marx
69. Um Estudo em Vermelho
Sir Arthur Conan Doyle
70. Meditações
Marco Aurélio
71. A Vida das Abelhas
Maurice Materlinck
72. O Cortiço
Aluísio Azevedo
73. Senhora
José de Alencar
74. Brás, Bexiga e Barra Funda / Laranja da China
Antônio de Alcântara Machado
75. Eugênia Grandet
Honoré de Balzac
76. Contos Gauchescos
João Simões Lopes Neto
77. Esaú e Jacó
Machado de Assis
78. O Desespero Humano
Sören Kierkegaard
79. Dos Deveres
Cícero
80. Ciência e Política
Max Weber
81. Satíricon
Petrônio
82. Eu e Outras Poesias
Augusto dos Anjos
83. Farsa de Inês Pereira / Auto da Barca do Inferno / Auto da Alma
Gil Vicente
84. A Desobediência Civil e Outros Escritos
Henry David Toreau
85. Para Além do Bem e do Mal
Friedrich Nietzsche
86. A Ilha do Tesouro
R. Louis Stevenson
87. Marília de Dirceu
Tomás A. Gonzaga
88. As Aventuras de Pinóquio
Carlo Collodi
89. Segundo Tratado Sobre o Governo
John Locke
90. Amor de Salvação
Camilo Castelo Branco
91. Broquéis/Faróis/ Últimos Sonetos
Cruz e Souza
92. I-Juca-Pirama / Os Timbiras / Outros Poemas
Gonçalves Dias
93. Romeu e Julieta
William Shakespeare
94. A Capital Federal
Arthur Azevedo
95. Diário de um Sedutor
Sören Kierkegaard
96. Carta de Pero Vaz de Caminha a El-Rei Sobre o Achamento do Brasil
97. Casa de Pensão
Aluísio Azevedo
98. Macbeth
William Shakespeare

99. Édipo Rei/Antígona
Sófocles

100. Lucíola
José de Alencar

101. As Aventuras de Sherlock Holmes
Sir Arthur Conan Doyle

102. Bom-Crioulo
Adolfo Caminha

103. Helena
Machado de Assis

104. Poemas Satíricos
Gregório de Matos

105. Escritos Políticos / A Arte da Guerra
Maquiavel

106. Ubirajara
José de Alencar

107. Diva
José de Alencar

108. Eurico, o Presbítero
Alexandre Herculano

109. Os Melhores Contos
Lima Barreto

110. A Luneta Mágica
Joaquim Manuel de Macedo

111. Fundamentação da Metafísica dos Costumes e Outros Escritos
Immanuel Kant

112. O Príncipe e o Mendigo
Mark Twain

113. O Domínio de Si Mesmo pela Auto-Sugestão Consciente
Émile Coué

114. O Mulato
Aluísio Azevedo

115. Sonetos
Florbela Espanca

116. Uma Estadia no Inferno / Poemas / Carta do Vidente
Arthur Rimbaud

117. Várias Histórias
Machado de Assis

118. Fédon
Platão

119. Poesias
Olavo Bilac

120. A Conduta para a Vida
Ralph Waldo Emerson

121. O Livro Vermelho
Mao Tsé-Tung

122. Oração aos Moços
Rui Barbosa

123. Otelo, o Mouro de Veneza
William Shakespeare

124. Ensaios
Ralph Waldo Emerson

125. De Profundis / Balada do Cárcere de Reading
Oscar Wilde

126. Crítica da Razão Prática
Immanuel Kant

127. A Arte de Amar
Ovídio Naso

128. O Tartufo ou O Impostor
Molière

129. Metamorfoses
Ovídio Naso

130. A Gaia Ciência
Friedrich Nietzsche

131. O Doente Imaginário
Molière

132. Uma Lágrima de Mulher
Aluísio Azevedo

133. O Último Adeus de Sherlock Holmes
Sir Arthur Conan Doyle

134. Canudos - Diário de uma Expedição
Euclides da Cunha

135. A Doutrina de Buda
Siddharta Gautama

136. Tao Te Ching
Lao-Tsé

137. Da Monarquia / Vida Nova
Dante Alighieri

138. A Brasileira de Prazins
Camilo Castelo Branco

139. O Velho da Horta/Quem Tem Farelos?/Auto da Índia
Gil Vicente

140. O Seminarista
Bernardo Guimarães

141. O Alienista / Casa Velha
Machado de Assis

142. Sonetos
Manuel du Bocage

143. O Mandarim
Eça de Queirós

144. Noite na Taverna / Macário
Álvares de Azevedo

145. Viagens na Minha Terra
Almeida Garrett

146. Sermões Escolhidos
Padre Antonio Vieira

147. Os Escravos
Castro Alves

148. O Demônio Familiar
José de Alencar

149. A Mandrágora / Belfagor, o Arquidiabo
Maquiavel

150. O Homem
Aluísio Azevedo

151. Arte Poética
Aristóteles

152. A Megera Domada
William Shakespeare

153. Alceste/Electra/Hipólito
Eurípedes

154. O Sermão da Montanha
Huberto Rohden

155. O Cabeleira
Franklin Távora

156. Rubáiyát
Omar Khayyám

157. Luzia-Homem
Domingos Olímpio

158. A Cidade e as Serras
Eça de Queirós

159. A Retirada da Laguna
Visconde de Taunay

160. A Viagem ao Centro da Terra
Júlio Verne

161. Caramuru
Frei Santa Rita Durão

162. Clara dos Anjos
Lima Barreto

163. Memorial de Aires
Machado de Assis

164. Bhagavad Gita
Krishna

165. O Profeta
Khalil Gibran

166. Aforismos
Hipócrates

167. Kama Sutra
Vatsyayana

168. Histórias de Mowgli
Rudyard Kipling

169. De Alma para Alma
Huberto Rohden

170. Orações
Cícero

171. Sabedoria das Parábolas
Huberto Rohden

172. Salomé
Oscar Wilde

173. Do Cidadão
Thomas Hobbes

174. Porque Sofremos
Huberto Rohden

175. Einstein: o Enigma do Universo
Huberto Rohden

176. A Mensagem Viva do Cristo
Huberto Rohden

177. Mahatma Gandhi
Huberto Rohden

178. A Cidade do Sol
Tommaso Campanella

179. Setas para o Infinito
Huberto Rohden

180. A Voz do Silêncio
Helena Blavatsky

181. Frei Luís de Sousa
Almeida Garrett

182. Fábulas
Esopo

183. Cântico de Natal/ Os Carrilhões
Charles Dickens

184. Contos
Eça de Queirós

185. O Pai Goriot
Honoré de Balzac

186. Noites Brancas e Outras Histórias
Dostoiévski

187. Minha Formação
Joaquim Nabuco

188. Pragmatismo
William James

189. Discursos Forenses
Enrico Ferri

190. Medeia
Eurípedes

191. Discursos de Acusação
Enrico Ferri

192. A Ideologia Alemã
Marx & Engels

193. Prometeu Acorrentado
Esquilo

194. Iaiá Garcia
Machado de Assis

195. Discursos no Instituto dos Advogados Brasileiros / Discurso no Colégio Anchieta
Rui Barbosa

196. Édipo em Colono
Sófocles

197. A Arte de Curar pelo Espírito
Joel S. Goldsmith

198. Jesus, o Filho do Homem
Khalil Gibran

199. Discurso sobre a Origem e os Fundamentos da Desigualdade entre os Homens
Jean-Jacques Rousseau

200. Fábulas
La Fontaine

201. O Sonho de uma Noite de Verão
William Shakespeare

202. Maquiavel, o Poder
José Nivaldo Junior

203. Ressurreição
Machado de Assis

204. O Caminho da Felicidade
Huberto Rohden

205. A Velhice do Padre Eterno
Guerra Junqueiro

206. O Sertanejo
José de Alencar

207. Gitanjali
Rabindranath Tagore

208. Senso Comum
Thomas Paine

209. Canaã
Graça Aranha

210. O Caminho Infinito
Joel S. Goldsmith

211. Pensamentos
Epicuro

212. A Letra Escarlate
Nathaniel Hawthorne

213. Autobiografia
Benjamin Franklin

214. Memórias de Sherlock Holmes
Sir Arthur Conan Doyle

215. O Dever do Advogado / Posse de Direitos Pessoais
Rui Barbosa

216. O Tronco do Ipê
José de Alencar

217. O Amante de Lady Chatterley
D. H. Lawrence

218. Contos Amazônicos
Inglês de Souza

219. A Tempestade
William Shakespeare

220. Ondas
Euclides da Cunha

221. Educação do Homem Integral
Huberto Rohden

222. Novos Rumos para a Educação
Huberto Rohden

223. Mulherzinhas
Louise May Alcott

224. A Mão e a Luva
Machado de Assis

225. A Morte de Ivan Ilicht / Senhores e Servos
Leon Tolstói

226. Álcoois e Outros Poemas
Apollinaire

227. Pais e Filhos
Ivan Turguêniev

228. Alice no País das Maravilhas
Lewis Carroll

229. À Margem da História
Euclides da Cunha

230. Viagem ao Brasil
Hans Staden

231. O Quinto Evangelho
Tomé

232. Lorde Jim
Joseph Conrad

233. Cartas Chilenas
Tomás Antônio Gonzaga

234. Odes Modernas
Anntero de Quental

235. Do Cativeiro Babilônico da Igreja
Martinho Lutero

236. O Coração das Trevas
Joseph Conrad

237. Thais
Anatole France

238. Andrômaca / Fedra
Racine

239. As Catilinárias
Cícero

240. Recordações da Casa dos Mortos
Dostoiévski

241. O Mercador de Veneza
William Shakespeare

242. A Filha do Capitão / A Dama de Espadas
Aleksandr Púchkin

243. Orgulho e Preconceito
Jane Austen

244. A Volta do Parafuso
Henry James

245. O Gaúcho
José de Alencar

246. Tristão e Isolda
Lenda Medieval Celta de Amor

247. Poemas Completos de Alberto Caeiro
Fernando Pessoa

248. Maiakósvki
Vida e Poesia

249. Sonetos
William Shakespeare

250. Poesia de Ricardo Reis
Fernando Pessoa

251. Papéis Avulsos
Machado de Assis

252. Contos Fluminenses
Machado de Assis

253. O Bobo
Alexandre Herculano

254. A Oração da Coroa
Demóstenes

255. O Castelo
Franz Kafka

256. O Trovejar do Silêncio
Joel S. Goldsmith

257. Alice na Casa dos Espelhos
Lewis Carrol

258. Miséria da Filosofia
Karl Marx

259. Júlio César
William Shakespeare

260. Antônio e Cleópatra
William Shakespeare

261. Filosofia da Arte
Huberto Rohden

262. A Alma Encantadora das Ruas
João do Rio

263. A Normalista
Adolfo Caminha

264. Pollyanna
Eleanor H. Porter

265. As Pupilas do Senhor Reitor
Júlio Diniz

266. As Primaveras
Casimiro de Abreu

267. Fundamentos do Direito
Léon Duguit

268. Discursos de Metafísica
G. W. Leibniz

269. Sociologia e Filosofia
Émile Durkheim

270. Cancioneiro
Fernando Pessoa

271. A Dama das Camélias
Alexandre Dumas (filho)

272. O Divórcio / As Bases da Fé / e outros textos
Rui Barbosa

273. Pollyanna Moça
Eleanor H. Porter

274. O 18 Brumário de Luís Bonaparte
Karl Marx

275. Teatro de Machado de Assis
Antologia

276. Cartas Persas
Montesquieu

277. Em Comunhão com Deus
Huberto Rohden

278. Razão e Sensibilidade
Jane Austen

279. Crônicas Selecionadas
Machado de Assis

280. Histórias da Meia-Noite
Machado de Assis

281. Cyrano de Bergerac
Edmond Rostand

282. O Maravilhoso Mágico de Oz
L. Frank Baum

283. Trocando Olhares
Florbela Espanca

284. O Pensamento Filosófico da Antiguidade
Huberto Rohden

285. Filosofia Contemporânea
Huberto Rohden

286. O Espírito da Filosofia Oriental
Huberto Rohden

287. A Pele do Lobo / O Badejo / o Dote
Artur Azevedo

288. Os Bruzundangas
Lima Barreto

289. A Pata da Gazela
José de Alencar

290. O Vale do Terror
Sir Arthur Conan Doyle

291. O Signo dos Quatro
Sir Arthur Conan Doyle

292. As Máscaras do Destino
Florbela Espanca

293. A Confissão de Lúcio
Mário de Sá-Carneiro

294. Falenas
Machado de Assis

295. O Uraguai / A Declamação Trágica
Basílio da Gama

296. Crisálidas
Machado de Assis

297. Americanas
Machado de Assis

298. A Carteira de Meu Tio
Joaquim Manuel de Macedo

299. Catecismo da Filosofia
Huberto Rohden

300. Apologia de Sócrates
Platão (Edição bilingue)

301. Rumo à Consciência Cósmica
Huberto Rohden

302. Cosmoterapia
Huberto Rohden

303. Bodas de Sangue
Federico García Lorca

304. Discurso da Servidão Voluntária
Étienne de La Boétie

305. Categorias
Aristóteles

306. Manon Lescaut
Abade Prévost

307. Teogonia / Trabalho e Dias
Hesíodo

308. As Vítimas-Algozes
Joaquim Manuel de Macedo

309. Persuasão
Jane Austen

310. Agostinho - Huberto Rohden

311. Roteiro Cósmico
Huberto Rohden

312. A Queda dum Anjo
Camilo Castelo Branco

313. O Cristo Cósmico e os Essênios - Huberto Rohden

314. Metafísica do Cristianismo
Huberto Rohden

315. Rei Édipo - Sófocles

316. Livro dos provérbios
Salomão

317. Histórias de Horror
Howard Phillips Lovecraft

318. O Ladrão de Casaca
Maurice Leblanc

319. Til
José de Alencar

Série Ouro
(Livros com mais de 400 p.)

1. Leviatã
Thomas Hobbes

2. A Cidade Antiga
Fustel de Coulanges

3. Crítica da Razão Pura
Immanuel Kant

4. Confissões
Santo Agostinho

5. Os Sertões
Euclides da Cunha

6. Dicionário Filosófico
Voltaire

7. A Divina Comédia
Dante Alighieri

8. Ética Demonstrada à Maneira dos Geômetras
Baruch de Spinoza

9. Do Espírito das Leis
Montesquieu

10. O Primo Basílio
Eça de Queirós

11. O Crime do Padre Amaro
Eça de Queirós

12. Crime e Castigo
Dostoiévski

13. Fausto
Goethe

14. O Suicídio
Émile Durkheim

15. Odisseia
Homero

16. Paraíso Perdido
John Milton

17. Drácula
Bram Stoker

18. Ilíada
Homero

19. As Aventuras de Huckleberry Finn
Mark Twain

20. Paulo — O 13º Apóstolo
Ernest Renan

21. Eneida
Virgílio

22. Pensamentos
Blaise Pascal

23. A Origem das Espécies
Charles Darwin

24. Vida de Jesus
Ernest Renan

25. Moby Dick
Herman Melville

26. Os Irmãos Karamazovi
Dostoiévski

27. O Morro dos Ventos Uivantes
Emily Brontë

28. Vinte Mil Léguas Submarinas
Júlio Verne

29. Madame Bovary
Gustave Flaubert

30. O Vermelho e o Negro
Stendhal

31. Os Trabalhadores do Mar
Victor Hugo

32. A Vida dos Doze Césares
Suetônio

33. O Moço Loiro
Joaquim Manuel de Macedo

34. O Idiota
Dostoiévski

35. Paulo de Tarso
Huberto Rohden

36. O Peregrino
John Bunyan

37. As Profecias
Nostradamus

38. Novo Testamento
Huberto Rohden

39. O Corcunda de Notre Dame
Victor Hugo

40. Arte de Furtar
Anônimo do século XVII

41. Germinal
Émile Zola

42. Folhas de Relva
Walt Whitman

43. Ben-Hur — Uma História dos Tempos de Cristo
Lew Wallace

44. Os Maias
Eça de Queirós

45. O Livro da Mitologia
Thomas Bulfinch

46. Os Três Mosqueteiros
Alexandre Dumas

47. Poesia de Álvaro de Campos
Fernando Pessoa

48. Jesus Nazareno
Huberto Rohden

49. Grandes Esperanças
Charles Dickens

50. A Educação Sentimental
Gustave Flaubert

51. O Conde de Monte Cristo (Volume I)
Alexandre Dumas

52. O Conde de Monte Cristo (Volume II)
Alexandre Dumas

53. Os Miseráveis (Volume I)
Victor Hugo

54. Os Miseráveis (Volume II)
Victor Hugo

55. Dom Quixote de La Mancha (Volume I)
Miguel de Cervantes

56. Dom Quixote de La Mancha (Volume II)
Miguel de Cervantes

57. As Confissões
Jean-Jacques Rousseau

58. Contos Escolhidos
Artur Azevedo

59. As Aventuras de Robin Hood
Howard Pyle

60. Mansfield Park
Jane Austen